OBRA POÉTICA

OLGA OROZCO

OBRA POÉTICA

CORREGIDOR

Diseño de tapa:
Estudio Manela & Asociados - S. Manela + G. Soria

5ª edición

Todos los derechos reservados

Ediciones Corregidor, 2000
Rodríguez Peña 452 (1020) Bs. As.
Web site: www.corregidor.com
e-mail: corregidor@corregidor.com
Hecho el depósito que marca la ley 11.723
I.S.B.N.: 950-05-0634-3
Impreso en Buenos Aires - Argentina

"Lo eterno es uno, pero tiene muchos nombres".

RIG VEDA

DESDE LEJOS
1946

a Eduardo Jorge Bosco

LEJOS, DESDE MI COLINA

A veces sólo era un llamado de arena en las ventanas,
una hierba que de pronto temblaba en la pradera quieta,
un cuerpo transparente que cruzaba los muros con blandura
dejándome en los ojos un resplandor helado,
o el ruido de una piedra recorriendo la indecible tiniebla
    de la medianoche;
a veces, sólo el viento.

Reconocía en ellos distantes mensajeros
de un país abismado con el mundo bajo las altas sombras
    de mi frente.
Yo los había amado, quizás, bajo otro cielo,
pero la soledad, las ruinas y el silencio eran siempre los
    mismos.
Más tarde, en la creciente noche,
miraba desde arriba la cabeza inclinada de una mujer
    vestida de congoja
que marchaba a través de todas sus edades como por un
    jardín
antiguamente amado.
Al final del sendero, antes de comenzar la durmiente planicie,
un brillo memorable, apenas un color pálido y cruel, la
    despedía;
y más allá no conocía nada.

¿Quién eras tú, perdida entre el follaje como las anteriores
    primaveras,
como alguien que retorna desde el tiempo a repetir los llantos,
los deseos, los ademanes lentos con que antaño entreabría
    sus días?

Sólo tú, alma mía.

9

Asomada a mi vida lo mismo que a una música remota,
para siempre envolvente,
escuchabas, suspendida quién sabe de qué muro de tierno
    desamparo,
el rumor apagado de las hojas sobre la juventud adormecida,
y elegías lo triste, lo callado, lo que nace debajo del olvido.

¿En qué rincón de ti,
en qué desierto corredor resuenan los pasos clamorosos de
    una alegre estación,
el murmullo del agua sobre alguna pradera que prolongaba el
    cielo,
el canto esperanzado con que el amanecer corría a nuestro
    encuentro,
y también las palabras, sin duda tan ajenas al sitio señalado,
en las que agonizaba lo imposible?

Tú no respondes nada, porque toda respuesta de ti ha sido
    dada.

Acaso hayas vivido solamente
aquello que al arder no deja más que polvo de tristeza
    inmortal,
lo que saluda en ti, a través del recuerdo,
una eterna morada que al recibirnos se despide.

Tú no preguntas nada, nunca, porque no hay nadie ya que
    te responda.

Pero allá, sobre las colinas,
tu hermana, la memoria, con una rama joven aún entre las
    manos,
relata una vez más la leyenda inconclusa de un brumoso país.

QUIENES RONDAN LA NIEBLA

Siempre estarán aquí, junto a la niebla,
amargamente intactos en su paciente polvo que la sombra
    ha invadido,
recorriendo impasibles esa región de pena que se vuelve al
    poniente,
allá, donde el pájaro de la piedad canta sin cesar sobre la
    indiferencia del que duerme,
donde el amor reposa su gastado ademán sobre las hierbas
    cenicientas,
y el olvido es apenas un destello invernal desde otro reino.

Son los seres que fui los que me aguardan,
los que llegan a mí como a la débil hiedra doliente y amarilla
    que sostiene el verano.
Triste será el sendero para la última hoja demorada,
triste y conocido como la tiniebla.

¡Oh dulce y callada soledad temible!
¡Qué dispersos y fieles hijos de nuestra imagen
nos están conduciendo hacia el amanecer de las colinas!

Están aquí, reunidas alrededor del viento,
la niña clara y cruel de la alegría, coronada de flores
    polvorientas,
la niña de los sueños, con su tierno cansancio de otro cielo
    recién abandonado;
la niña de la soledad, buscando entre la lluvia de las alamedas
    el secreto del tiempo y del relámpago;
la niña de la pena, pálida y silenciosa,
contemplando sus manos que la muerte de un árbol oscurece;
la niña del olvido que llama, llama sin reposo sobre su
    corazón adormecido,
junto a la niña eterna,
la piadosa y sombría niña de los recuerdos que contempla
    borrarse una vez más,

11

bajo los desolados médanos,
la casa abandonada, amada por el grillo y por la enredadera;
y más cerca, como el rumor del musgo en las mejillas de
    aquella incierta niña de leyenda,
la niña del espanto que escucha, como antaño junto al muro
    derruido,
las lentas voces de los desaparecidos;
y allí, bajo sus pies,
las fugitivas niñas de la sombra que los atardeceres reconocen,
las mágicas amigas del matorral y de la piedra temerosa.

Yo conozco esos gestos,
esas dóciles máscaras con que la luz recubre cada día sus
    amargos desiertos.
¡Tanta fatiga inútil entre un golpe de viento y un resplandor
    de arena pasajera!

No es cierto, sin embargo,
que en el sitio donde el sufriente corazón restituye sus
    lágrimas al destino terrestre,
palideciendo acaso,
nos espere un gran sueño, pesado, irremediable.

Esperadme, esperadme, inasibles criaturas del rocío,
porque despertaré
y hermoso será subir, bajo idéntico tiempo,
las altas graderías de la ciudad del sol y las tormentas,
y repetir aún, sin desamparo, las radiantes edades que la
    tierra enamora.

LA ABUELA

Ella mira pasar desde su lejanía las vanas estaciones,
el ademán ligero con que idénticos días se despiden
dejando sólo el eco, el rumor de otros días apagados
bajo la gran marea de su corazón.

De todos los que amaron ciertas edades suyas, ciertos gestos,
las mismas poblaciones con olor a leyenda,
no quedan más que nombres a los que a veces vuelven como
    a un sueño
cuando ella interroga con sus manos el apacible polvo de las
    cosas
que antaño recobrara de un larguísimo olvido.
Sí. Ese siempre tan lejos como nunca,
esa memoria apenas alcanzada, en un último esfuerzo,
por la costumbre de la piel o por la enorme sabiduría de
    la sangre.

Ella recorre aún la sombra de su vida,
el afán de otro tiempo, la imposible desdicha soportada;
y regresa otra vez,
otra vez todavía, desde el fondo de las profundas ruinas,
a su tierna paciencia, al cuerpo insostenible, a su vejez,
igual que a un aposento donde sólo resuenan las pisadas
    de los antiguos huéspedes
que aguardan, en la noche, el último llamado de la tierra
    entreabierta.

Ella nos mira ya desde la verdadera realidad de su rostro.

UN PUEBLO EN LAS CORNISAS

Es un pueblo disperso por áridas distancias,
por épocas que dejan una mortal sentencia entre las piedras,
aquel que se levanta, tan obstinadamente,
como si en esos gestos repetidos a lo largo de sueños y
     desvelos,
guardáramos, también, la esperanzada imagen de todos
     nuestros gestos,
su lejano destino.

Envueltos desde siempre en el canto nostálgico del tiempo
como en una mortaja que interminablemente los irá
     oscureciendo,
esos pálidos seres,
apenas sostenidos por angustioso afán de la memoria,
detienen con desiertas señales aquel día que antaño los
     condujo a esa gran soledad
o a esa larga velada en que de pronto se consumió la vida.

Solamente la lluvia y los transidos huéspedes del viento
—remolinos de briznas, pájaros agobiados por un ala
     invencible,
o errantes humaredas que abandonan una trémula aureola—
rodean, vanamente,
una triste cabeza cuyo cuerpo cubrieron las paredes,
unas manos hundidas en la inmóvil corriente de largas
     cabelleras,
un semblante asomado a algunas flores,
a una página hueca,
a otro rostro sumido en lo imposible.

Mientras pasan y tornan nuestras cambiantes sombras,
y nuestra misma imagen se pierde en los espejos bajo aquéllos
     que fuimos,
cada vez más incierta,

14

como labrada en inasible bruma,
ellos,
testigos de ese coro de ahogadas resonancias, de confusos
    olores,
con el que cada casa penetra con su aliento a través de
    las otras,
custodian, impasibles, nuestra eterna esperanza,
con igual lejanía que la de un corazón demasiado colmado.

Porque son ese pueblo cuyo ademán paciente convocamos
    como a un resto de amor,
como a un secreto que se ampara en el polvo,
como a un recuerdo único que en la sangre perdura para
    cumplir la antigua, sagrada profecía:
"Tan sólo el verdadero de todos cuantos fuiste contemplará
    caer la sombra de los siglos".

PARA EMILIO EN SU CIELO

Aquí están tus recuerdos:
este leve polvillo de violetas
cayendo inútilmente sobre las olvidadas fechas;
tu nombre,
el persistente nombre que abandonó tu mano entre las
    piedras;
el árbol familiar, su rumor siempre verde contra el vidrio;
mi infancia, tan cercana,
en el mismo jardín donde la hierba canta todavía
y donde tantas veces tu cabeza reposaba de pronto junto
    a mí,
entre los matorrales de la sombra.

Todo siempre es igual.
Cuando otra vez llamamos como ahora en el lejano muro:
todo siempre es igual.
Aquí están tus dominios, pálido adolescente:
la húmeda llanura para tus pies furtivos,
la aspereza del cardo, la recordada escarcha del amanecer,
las antiguas leyendas,
la tierra en que nacimos con idéntica niebla sobre el llanto.

—¿Recuerdas la nevada? ¡Hace ya tanto tiempo!
¡Cómo han crecido desde entonces tus cabellos!
Sin embargo, llevas aún sus efímeras flores sobre el pecho
y tu frente se inclina bajo ese mismo cielo
tan deslumbrante y claro.

¿Por qué habrás de volver acompañado, como un dios a su
    mundo,
por algún paisaje que he querido?
¿Recuerdas todavía la nevada?

¡Qué sola estará hoy, detrás de las inútiles paredes,
tu morada de hierros y de flores!

Abandonada, su juventud que tiene la forma de tu cuerpo,
extrañará ahora tus silencios demasiado obstinados,
tu piel, tan desolada como un país al que sólo visitaran
cenicientos pétalos
después de haber mirado pasar, ¡tanto tiempo!,
la paciencia inacabable de la hormiga entre sus solitarias
ruinas.

Espera, espera, corazón mío:
no es el semblante frío de la temida nieve ni el del sueño
reciente.
Otra vez, otra vez, corazón mío:
el roce inconfundible de la arena en la verja,
el grito de la abuela,
la misma soledad, la no mentida,
y este largo destino de mirarse las manos hasta envejecer.

ESOS PEQUEÑOS SERES

En un país que amaba ya estará anocheciendo.
Coronados por sus mustias guirnaldas,
esos pequeños seres creados cuando la oscuridad,
vuelven a poblar con sus tiernas músicas,
a golpear con sus manos de brillantes estíos
ese rincón natal de mi melancolía.

Sonríen los inasibles huéspedes,
las criaturas largamente buscadas en las secretas ramas,
en lo más escondido de las piedras,
en la sombra abandonada del que salió de ella eternamente
    joven.
Desde la lejanía me sonríen.

¡Qué inútiles sus gestos, sus caricias,
cuando algún largo tiempo nos conoce calladamente
    ajenos,
cuando ya no hay temor por el huyente roce de los muertos
    que amamos,
ni por el musgo que crece murmurando sobre el corazón,
ni por las voces nocturnas de los que se despiden sollozando:
—¡Yo te esperaré siempre allá, doliente desaparecida!

Vosotros,
que habitáis en mí la región desmoronada del miedo,
de las ansiadas compañías terrestres:
¿A qué volvéis ahora
como un sueño demasiado violento que la infancia ha
    guardado?

Apenas si un recuerdo os reconoce,
cada vez más lejanos.

18

LAS PUERTAS

Semejante a los vientos,
que pasan coronando los pacientes senderos con flores,
con el polvo que alguna vez ardiera dentro del corazón,
con el eco doliente de sepultados muros,
con destellos y músicas,
con tanta triste ruina que desterrada emigra,
he penetrado junto con mis días a través de las puertas.

Largamente guardaban, al abrigo de duras estaciones,
un mundo que alentaba distraído,
como el aire y la luz sobre las tumbas,
entre la inmemorial paciencia de las cosas;
pero había, al pasar, tan cercano y profundo cual la sangre,
—melodiosa sin duda—
un rápido murmullo, un vago respirar de secretas imágenes,
apagados de pronto bajo el velo con que la soledad defiende
    sus comarcas.

Innumerables puertas:
os contemplo otra vez desde las grietas piadosas de los
    tiempos,
lo mismo que a esas piedras borrosas, desgastadas,
donde acaso reposa irrecobrable la sagrada leyenda de algún
    dios olvidado.

Y ante mí, como entonces, aparecen aquellas,
inútiles, humildes,
demasiado confiadas en la débil custodia del silencio,
aquellas, las que nunca pudieron contener ni el fulgor de
    las lágrimas,
ni siquiera las voces precarias de la dicha que invadieron,
    así,
rincones y aposentos reservados al color de otra muerte.

19

También te reconozco, guardiana insobornable de mi
    melancolía.
Quizás detrás de ti,
se levantan aún mis propias sombras huyendo todavía de
    las graves tormentas,
alcanzando en las noches el recuerdo apacible de algún
    semblante amado,
envolviendo en sus manos, tiernamente, la misma claridad
    vacía y amarilla,
donde antaño vivieron confundidas las mágicas ofrendas que
    los días dejaron en la tierra.
Tú seguirás allí
defendiendo un sagrario de sueños y de polvo,
asediada tal vez por ávidas jaurías.

Mientras tanto:
¡Cuántos mudos testigos de paz y desamparo
pasarán por las puertas entreabiertas!
¡Cuánto mensaje oculto entre sus huellas recogerán los vientos!
Ellas sabían ya que la mirada del sol bajo las piedras era,
lo mismo que mis días en sus vanos albergues,
el saludo del huésped que habitará otras piedras,
no más tiempo que aquéllas.

Y eres tú, condenada a no abrirte para siempre,
quien conoció, más cerca que ninguna,
la escondida piedad con que alguien cierra los reinos de otra
    vida.
Sin embargo, sería necesario un destino cualquiera tras de ti,
ser el ruido de un paso, o el largo empañamiento de un
    espejo vacío,
para saber si puede su deseo, sumido en tu memoria,
volver a lo que amó.

Puertas que no recuerdo ni recuerdan,
perdidas con los años bajo tristes sudarios de nombres y
    de climas,
regresan, convocadas quién sabe por qué rafagas fieles,
como esos remolinos que castigan el desdén de los árboles

con el verdor antiguo de unas manos gastadas en soledad
y olvido.
No. Ninguna más llorada que tú, puerta primera.
Si crecerá la hierba en tus umbrales;
si el murmullo incesante de las ramas, confiadas a los
pájaros guardianes,
velará tu sopor, que la crueldad del médano acechaba;
si un cerrojo de lianas y de hiedra me apartaría hoy de tus
claros misterios
como de un paisaje totalmente abismado debajo de los
párpados,
lejos de toda luz, negado a toda sombra.

Estas fueron mis puertas.
Detrás de cada una he visto levantarse una vez más
una misma señal que por cielos y cielos repitieron los años
en mi sangre:
no de paz, ni tampoco de cruel remordimiento;
pero sí de pasión por todo lo imposible,
por cada soledad,
por cada tierno brillo destinado a morir,
por cada frágil brizna movida por un soplo de belleza
inmortal.

UN ROSTRO EN EL OTOÑO

La mujer del otoño llegaba a mi ventana
sumergiendo su rostro entre las vides,
reclinando sus hombros, sus vegetales hombros, en las nieblas,
buscando inútilmente su pecho resignado a nacer y morir
entre dos sueños.

Desde un lejano cielo la aguardaban las lluvias,
aquellas que golpeaban duramente su dulce piel labrada
    por el duelo de una vieja estación,
sus ojos que nacían desde el llanto
o su pálida boca perdida para siempre, como en una
    plegaria que inconmovibles dioses acallaran.

Luego estaban los vientos adormeciendo el mundo entre sus
    manos,
repitiendo en sus mustios cabellos enlazados
la inacabable endecha de las hojas que caen;
y allá, bajo las frías coronas del invierno,
el cálido refugio de la tierra para su soledad, semejante a un
    presagio,
retornada a su estela como un ala.

Oh, vosotros, los inclementes ángeles del tiempo,
los que habitáis aún la lejanía
—ese olvido demasiado rebelde—;
vosotros, que lleváis a la sombra,
a sus marchitos ídolos, eternos todavía,
mi corazón hostil, abandonado:
no me podréis quitar esta pequeña vida entre dos sueños,
este cuerpo de lianas y de hojas que cae blandamente,
que se muere hacia adentro, como mueren las hierbas.

DESPUÉS DE LOS DÍAS

Será cuando el misterio de la sombra,
piadosa madre de mi cuerpo, haya pasado;
cuando las angustiadas palomas, mis amigas, no repitan
    por mí su vuelo funerario;
cuando el último brillo de mi boca se apague duramente,
    sin orgullo;
mucho después del llanto de la muerte.

No acabarás entonces,
mitad de mi vida fatigada de cantar lo terrestre.
Nadie podrá mirarte con esa misma pena que se tiene
    al mirar un pálido arenal interminable,
porque tú volverás, ¡oh corazón amante del recuerdo!,
    a las tristes planicies.

Serás el mismo viento tormentoso de agosto,
huracanado y redentor como la plegaria de un tiempo
    arrepentido;
serás, cuando la noche, esa visión luciente que responde
    en la niebla
a una señal de oscuro desamparo;
tu voz tendrá un sonido humilde y temeroso
porque será el rumor doliente de los cercos que guardaron
    tu infancia,
al desmoronarse;
y tu color será el color del aire, dulcemente amarillo,
que las hojas de otoño desvanecen para sobrevivir.

Detrás de las paredes que limitan los sueños
estarán todavía los hombres,
prisioneros de sus mismos semblantes,
aquéllos, los marchitos,
los que dicen adiós con su mirada única
a cada nuevo paso del sombrío cortejo de su sangre,

mientras van consumiendo su destino de arena porque
su cielo cabe en una lágrima.

No te detengas, no, glorioso mediodía de mis huesos.
Ellos ven en el polvo un letárgico olvido tan largo como
el mundo,
y tú sabes, cuerpo mío dichoso desde el tiempo,
que no en vano mecieron tu corazón las lentas primaveras,
que tu pecho está unido a ese incesante aliento que reconoce
en él una guarida,
que será necesario morir para vivir el canto glorioso de la
tierra.

FLORES PARA UNA ESTATUA

¡Cuántas lamentaciones,
cuántas vanas promesas tenderán como redes vencidas los
    amantes,
cuántas húmedas hierbas seguirán envolviendo con ternura
    la sombra de las cúpulas sedientas,
cuántas desalentadas melodías pregonarán las piedras en las
    tardes,
mientras el viento mece la huella de una imagen como a un
    nombre desierto!

Era la blanca diosa que antaño nos sonriera
desde un rincón donde su largo sueño demoraba la vida,
lejana, inalcanzable,
más allá de las manos en que polvo y amor brillaban
    confundidos.

¿A qué dichosa edad, a qué mirada tan persistente aún
que embellecía el mundo con su sólo recuerdo, destinaba
    sus ojos,
la pálida dulzura detenida en la piel como el último llanto
    en una tumba?
¿Qué soplo inacabable, desafiando los vientos,
flotaba todavía sobre su corazón, lo mismo que un ropaje?

Nada fueron en ella las sombrías tormentas,
el tiempo, la distancia, el triste decaer de las cosas terrestres
que solamente dejan en nosotros derrumbe y soledad,
memorias imposibles de una antigua belleza;
y así entre deseos y fatigas,
—esos mustios destellos, esas viejas guirnaldas de flores
    quebradizas—,
soñábamos también un porvenir en el que todo fuera un largo
    gesto,
el único elegido,
bajo la lentitud sagrada de algún día olvidado en lo eterno.

25

Ella fue recobrada, intacta para siempre.
No la veremos más.
No sabremos jamás qué resplandor lejano correrá por su
    frente como un río,
ni en qué lugar, junto a su gran silencio,
retornamos de nuevo apenas a ese instante, a ese ademán,
    apenas,
en que la sangre ardió como en la muerte, de una sola
    manera.

Pero aquellos que fuimos,
mensajeros de un mundo perdido en lo más hondo del
    destierro,
vieron, cuando partían, caer en la penumbra
nuestros mismos semblantes, el último fulgor de lo que
    nunca muere;
y entonces dispusieron de nosotros,
asediados, efímeros,
igual que de un recuerdo semejante a su olvido.

DONDE CORRE LA ARENA DENTRO DEL CORAZÓN

Yo nací con vosotras, incesantes arenas,
en un lugar donde los días tienden sus flores cenicientas
    como si sólo fueran recuerdo de algún sueño,
la mirada de un tiempo guardado por congojas y fatigas,
    que vuelve, largamente,
a repetir su inútil poderío.

Es la región mecida por llorosos derrumbes;
una llanura, al sur,
bajo el triste sopor de lentísimos cielos.

Allí pasan flotando las grandes estaciones:
los transidos inviernos con un halo de pálidas escarchas,
con los cardos errantes que alimentan las hogueras de junio
durante largas noches ataviadas de terror y leyenda;
y crueles, los estíos,
por siempre consagrados a una misma paciencia,
encienden unas hierbas, una extensión cansada de grises
    matorrales,
toda la sed, la dura soledad de no alcanzar la dicha más
    allá de su llanto.

Entre el amanecer y el pausado crepúsculo
marchan los lentos hombres,
sentenciosos y graves,
al encuentro imposible de una época siempre demorada,
de una respuesta al débil trabajo de sus manos;
y vuelven, silenciosos,
a sus tranquilos ritos alrededor del fuego,
contemplando a lo lejos un pasado,
una vana distancia tendida como el humo sobre el picante
    y agrio crepitar de los leños.

Pero no son los años los que dejan esos muros exangües por
    donde asciende lenta la memoria.

Son unas y otras veces las sedientas manadas
o el rumor de los campos desvelados por crecientes mareas,
los que llegan, precisos, hasta el infatigable recordar,
porque una vez se unieron, inseparablemente, como el
    tiempo a la piel,
a las gastadas vidas, las bodas y los muertos.

En tanto levantáis,
insaciables arenas,
médanos fugitivos que cumplen en el viento un sombrío
    destino,
una misión que sólo reconocen las ruinas
cuando al caer conquistan, en su más vasto sueño,
un poder semejante al que sostuvo cada piedra en las piedras.

Nada valen, entonces, pobres a vuestro paso,
plegarias y conjuros,
mágicos sortilegios convocando el amparo de los cielos,
murallas de indefensos tamariscos que abandonan al sol
un áspero dominio de aridez y despojos.

Desmedida es la tierra que amó en sus duros hijos hasta
    la destrucción,
hasta la sal paciente de su sangre;
mas de ella aprendieron a contemplar la vida a través de
    la muerte,
a saber, sin reposo, que aún no ha sido creado aquello que
    no puedan sobrellevar las almas de los hombres,
y a comprender que el cielo y el infierno son expiados aquí
con opacas desdichas.

Si ellos se marchan hoy,
si hoy sus pueblos emigran a lo largo de una seca planicie
donde antaño crecieron junto a las mismas casas,
con árboles, pesares y costumbres,
no es preciso volver la vencida cabeza en despedida,
no es preciso dejar señales de sus pasos que reciban después
    sus propios pasos.

Ellos regresarán,
porque así lo dispone un lamento de arena que responde al
    llamado natal de otras arenas,
allá,
en el más abismado eco del corazón.

"1889"
(UNA CASA QUE FUE)

Implacables cayeron,
como golpes de tempestad sobre ávidos desiertos,
aquellos duros vientos, aquellas graves lluvias,
que ascendieron pacientes las paredes,
dejando esos ramajes de quejumbrosas grietas,
esas lágrimas días y días detenidas y continuadas siempre,
esos hijos del tiempo.

Ahora está sumida en un nivel más hondo que el del sueño.

Sólo quedan en pie las mudas escaleras que ascienden
        y descienden prolongando el corredor desierto,
los pálidos vestigios de los recintos desaparecidos
cuyas lápidas yacen al amparo piadoso de otros muros.

(Así cargan los hombres, sin saberlo,
con el peso ignorado de otra vida que se apoya en la suya.)

No hay castigo posible.
Ya nada teme al sol ni a las miradas,
aunque un destino humano esté labrado allí como en tablas
        de ley
y todo exista aún por fuerza poderosa de la ausencia.

Aún sabemos el sitio donde la infancia puso guirnaldas
        de fugaces mariposas,
más duraderas que los yertos nombres,
el preciso lugar donde el amor repitió una vez más,
entre murientes flores, sus mágicas endechas,
y el rincón angustioso donde una misma mano dibujó en largas
        sombras
toda la soledad,
el cansado letargo de la sangre.

Aún contemplan su mundo, no más antes que ahora,
esos antepasados de presentidos seres que se fueron;
y aún reinan transparentes, entre fieles despojos,
desde las claras huellas que dejaron sus lánguidos retratos,
y que son, en nosotros, como aquellos recuerdos demasiado
    constantes
que lentos, al vivir, empalidecen una región del alma.

Pronto habrá de caer hasta la fecha que aguardó tenazmente
el ropaje de polvo que recubre a la casa agonizante;
pues ese año del cual quedaron prisioneros tantos y tantos
    años,
no fue ni desafío ni memoria de un tiempo,
fue lejana advertencia de que toda constancia es derribada
    por mandato de tierra,
por razón inviolable de la muerte.

DETRÁS DEL SUEÑO

a Raquel Lartigue

Tal vez sean los vientos, que silenciosos cruzan los sitios
    donde amamos,
quienes van recogiendo nuestras mismas imágenes de antaño
—¡tanta sombra que aún nos sobrevive!—
para poblar los sueños.

Incansable paciencia es la del viento
llorando inútilmente un olvido imposible hasta la eternidad.

Tú lo habrás sorprendido alguna vez entre las nieblas de
    una descolorida medianoche,
y te habrás detenido junto a tus propios rostros
lo mismo que delante de un espejo que las continuas lluvias
    empañaron
y desde el cual una velada niña saluda alegremente su
    juventud sombría y cruel.

Estaría también la escalera ruinosa,
vencida, como un puente que ha cruzado la dicha
y que vacila ya, irremediablemente, al eco de unos pasos;
y allí, sobre los muros,
el ángel del candor despertaría los antiguos retratos,
las ventanas abiertas a otro reino,
los penosos colores que no fueron un instante de luz tranquila
    sobre el mundo,
sino un largo misterio que sabías
porque habías sufrido también, palideciendo, el corazón
    secreto de las cosas;
y un olor a humedad, a leyenda anterior al tiempo conocido,
acercaría a ti la sombra de su musgo como un pausado amor.

Todo esto es lo que el viento ha podido guardar de una
    estación herida hasta las lágrimas:
dos desaparecidos que repiten aún, unidos como entonces,

32

una misma señal amante del recuerdo y de la lejanía,
un oscuro recinto, un rincón sepultado,
donde la soledad y la tiniebla se persiguen.

Escucha.
No es el rumor creciente de la sangre que sostiene los cuerpos
    deseos tras deseos.
Es el humilde roce del polvo sobre el polvo.
No penetrar allí.
Bastará solamente que levantes los ojos desde el llanto
y esa tierna ceniza, esa piedad de un pasajero tiempo logrado
    duramente,
se habrá desmoronado lo mismo que una rama bajo el peso
    de su último huésped.

Doliente sopla el viento alrededor del sueño.
Son las manos del alba, claras y despiadadas, que lo van
    conduciendo hacia otro cielo.
Una densa marea liviana como el aire nos descubre la piel
y un lugar conocido, indiferente a la remota nube que recién
    habitamos,
nos reconquista a un día entre otros días,
a un resplandor fugaz sobre la tierra.

Mientras tanto tú y yo,
extraña compañera de los mismos designios,
sabremos que una hoja vivida desde adentro alguna vez
y que reposa intacta, lejos del huracán y de las luchas
    desnudas del invierno,
será el único siempre que habremos conocido,
aquí, donde terminan los venturosos sueños.

MIENTRAS MUERE LA DICHA

He visto a la dicha perderse gritando por un umbrío
 y solitario bosque,
donde el último día pasaba, silencioso,
olvidando a los hombres como a gastadas hojas que una lenta
 estación sostiene todavía.

Nunca más, desdeñosa entre las tardes, su máscara dorada,
las luminosas manos conduciendo los sueños a un sediento
 vivir,
el fugitivo manto,
su reflejo engañoso entre la hiedra que los recuerdos guardan
 como un reino perdido.

¡Oh doliente descanso de la tierra!
Alguien espera aún junto al río indeciso que la sangre
 contiene:
el que en su oscuridad golpea vanamente las paredes,
persiguiendo una sombra más alta que sus noches,
y al amanecer mira apenas la terca ceniza y alguna flor
 marchita sobre el pecho;
y más allá los otros,
los que buscan ese rincón del aire preparado a su forma
como un cuerpo anterior que en remotas edades habitaron.

Ellos quieren asir una huella en el polvo,
detener en la luz sus pobres paraísos hechos de lentos,
 trabajosos dones,
pero basta ese soplo,
que apenas si estremece las oscilantes ramas,
para trocar la paz por una muerte,
por lánguida costumbre los deseos.

Porque indefensos viven los hombres en la dicha
y solamente entonces, mientras muere a lo lejos su vana
 melodía,
recobran nuestros rostros una aureola invencible.

EL RETRATO DE LA AUSENTE

a Zelmira Orozco

Aún no se ha extinguido esa cálida ráfaga
que corre desde entonces a través de los pliegues flotantes
    de su traje,
derribando a sus pies los mismos crisantemos,
recién resucitados cada día,
rodeándola como con una música tan imprecisa y leve
que ella parece estar traspasando las cosas,
a pesar de la tierra, casi a pesar del cielo.

Nunca la conocí.
Nunca supe si sonrió alguna vez,
si el llanto le nacía entrecortado,
si amó la soledad de las lentas planicies
o los cambiantes pueblos que pasan en las nubes,
si sus costumbres fueron apasionadas magias o desganados
    ritos,
si sus manos buscaron la última tibieza de sus lacios cabellos,
    al morir.

Sin embargo, una misma ternura en mí la reconoce unida
    para siempre
a los desvanecidos aposentos, donde un tiempo letal suspende
    en los espejos intangibles encajes,
estremecidas felpas que recorren la piel con palpitantes olas
    de ceniza,
relicarios que guardan inseparablemente, entre lazos azules,
esos desmenuzados recuerdos de dos seres que jamás se
    encontraron,
y aéreos abanicos y sombrillas, tan lentos,
que adormecen la sangre con su soplo como envolventes
    ángeles.

Delante de una vaga tormenta detenida en iguales tinieblas,
en iguales pesados resplandores,

35

ella ocupó su mundo, su intransitable mundo
—esa distancia apenas conquistada por un solo ademán—,
mientras sentía ya, sin ninguna esperanza,
crecer en lo más hondo de su pecho indefenso invasiones
    de sombras,
enredaderas muertas pegadas a un aliento que escuchaba
    morir
inclinando la oscura cabeza sobre el aire,
como una débil hoja que irremediablemente sabe su
    anochecer.

Acaso sea entonces su larga despedida,
entreabriendo esas puertas cuya clausura misma sostenemos
    viviendo,
el soplo que condujo esa imagen de antaño hacia otros
    tiempos,
para que ahora pueda tender,
con su mirada,   ·
una grave indulgencia sobre nuestros recuerdos,
aun sobre el olvido que a veces la destruye
lo mismo que al follaje verdemente apagado tras la niebla
    llorosa de los vidrios.

ENTONCES, CUANDO EL AMOR

Yo te recuerdo en mí, guardado amor, desde hace
    mucho tiempo:
era joven aún tu antigua melodía
y recorrías solo esos abandonados dominios del silencio
preferidos contigo por las hierbas y las tapias ruinosas.
Tú buscabas allí, desorientado, un pecho transparente
donde la soledad y el desamparo contemplaran su imagen
    lo mismo que en un río.

La juventud velaba distraída,
prisionera de ti como una tierra donde tan sólo habita
    algún dios inmortal,
encerrando sus días en suspiradas flores que guardabas,
    amor, marchitas en tus manos,
como si fuera dada a tu deseo la terrible belleza de contarnos
    un día,
lejana tu mirada a nuestros ojos,
esa vieja leyenda en la que somos, unidos todavía,
ese largo reflejo del agua entre las hojas.

Entonces,
cuando el terror llamaba verdadero en el interminable
    corredor de un sueño
y desde lo ignorado de nosotros respondían la crueldad,
    la piedad y el abandono,
tú cantabas de pie, invencible y altivo sobre los delirantes
    despertares;
y cuando la tiniebla simulaba, bajo el cansado y débil
    resplandor de las lámparas,
imágenes temibles, engañosas al corazón confiado,
era un mismo semblante el que se alzaba más alto que las
    altas soledades.

¡Oh, amor! Toda la fuerza oscura de la tierra está en ti
y basta siempre un nombre, una palabra apenas desprendida
    del mundo,
para entreabrir un cielo semejante,
un país escondido donde sobrevivimos a la incesante y muda
    confusión de los días.

Allí el tiempo prolonga nuestro tiempo junto a los mismos
    dones,
mecido lentamente por esos largos ecos del follaje
en que reconocemos nuestras voces mucho después de
    entonces,
cuando fueron,
demoradas aún por todo lo imposible.
Allí el viento conoce desde antes que nosotros
ese fulgor dichoso que nos cubre la piel,
ese dulce y velado porvenir tan antiguo como el primer
    recuerdo
que reposa encendido bajo la gran ceniza de la tierra natal.

Este es tu reino, amor,
esta profunda sombra memorable en la que penetramos
    justamente.

Así se va al encuentro de algún gesto,
de aquel en que el destino se consume de pronto, intacto
    y duradero.

Sin embargo a lo lejos, tú lo sabes,
donde la vida sigue todavía una inmensa tristeza,
se entreabren ciertas puertas que no conducen nunca a sitio
    alguno,
ajenos a nosotros descendemos callados ciertas interminables
    escaleras
donde los pasos suenan adentro de otros pasos.

Acaso nos aguarde, en medio de la noche pavorosa,
la enemiga de todos tus amparos.
Ella: la lejanía.

38

A SOLAS CON LA TIERRA

Para desvanecer este pesado sitio
donde mi sangre encuentra a cada hora una misma extensión,
un idéntico tiempo ensombrecido por lágrimas y duelos,
me basta sólo un paso en esa gran distancia que separa la
    sombra de los cuerpos,
las cosas de una imagen en la que sólo habita el pensamiento.

Oh, duro es traspasar esos dominios de fatigosas hiedras
que se han ido enlazando a la profunda ramazón de los
    huesos,
resucitar del polvo el resplandor primero
de todo cuanto fueran recubriendo las distancias mortales,
y encontrarse, de pronto,
en medio de una antigua soledad que prolonga un desvelado
    mundo en los sentidos.

Como tierra abismada bajo la pesadumbre de indolentes
    mareas,
así me voy sumiendo, corazón hacia adentro,
en lentas invasiones de colores que ondean como telas
    flotantes entre los grandes vientos,
de voces, ¡tantas voces!, descubriendo, con sus largos oleajes,
países sepultados en el sopor más hondo del olvido,
de perfumes que tienden un halo transparente
alrededor del pálido y secreto respirar de los días,
de estaciones que pasan por mi piel lo mismo que a través
    de tenues ventanales
donde vagas visiones se inclinan en la brisa como en una
    dichosa melodía.

Mi tiempo no es ahora un recuerdo de gestos marchitos,
    desasidos,
ni un árido llamado que asciende ásperamente las raídas
    cortezas

sin encontrar más sitio que su propio destierro entre los ecos,
ni un sueño detenido por pesados sudarios a la orilla de un
pecho irrevocable;
es un clamor perdido debajo del quejoso brotar de las raíces,
una edad que podría reconquistar paciente sus edades
por las nudosas vetas que crecen en los árboles remotos,
al correr de los años.

Ya nada me rodea.
No. Que nadie se acerque.
Ya nadie me recobra con un nombre que tuve
—una extraña palabra tan invariable y vana—
ahora, cuando a solas con la tierra, en idéntico anhelo,
la luz nos va envolviendo como a yertos amantes cuyos
labios
no consigue borrar ni la insaciable tiniebla de la muerte.

LA CASA

Temible y aguardada como la muerte misma
se levanta la casa.
No será necesario que llamemos con todas nuestras lágrimas.
Nada. Ni el sueño, ni siquiera la lámpara.

Porque día tras día
aquellos que vivieron en nosotros un llanto contenido
    hasta palidecer
han partido,
y su leve ademán ha despertado una edad sepultada,
todo el amor de las antiguas cosas a las que acaso dimos,
    sin saberlo,
la duración exacta de la vida.

Ellos nos llaman hoy desde su amante sombra,
reclinados en las altas ventanas
como en un despertar que sólo aguarda la señal convenida
para restituir cada mirada a su propio destino;
y a través de las ramas soñolientas el primer huésped
    de la memoria nos saluda:
el pájaro del amanecer que entreabre con su canto las
    lentísimas puertas
como a un arco del aire por el que penetramos a un clima
    diferente.

Ven. Vamos a recobrar ese paciente imperio de la dicha
lo mismo que a un disperso jardín que el viento recupera.

Contemplemos aún los claros aposentos,
las pálidas guirnaldas que mecieron una noche estival,
las aéreas cortinas girando todavía en el halo de la luz
    como las mariposas de la lejanía,
nuestra imagen fugaz
detenida por siempre en los espejos de implacable destierro,

las flores que murieron por sí solas para rememorar el fulgor
   inmortal de la melancolía,
y también las estatuas que despertó, sin duda a nuestro paso,
ese rumor tan dulce de la hierba;
y perfumes, colores y sonidos en que reconocemos un
   instante del mundo;
y allá, tan sólo el viento sedoso y envolvente
de un día sin vivir que abandonamos, dormidos sobre el aire.

Nadie pudo ver nunca la incesante morada
donde todo repite nuestros nombres más allá de la tierra.
Mas nosotros sabemos que ella existe, como nosotros
   mismos,
por el sólo deseo de volver a vivir, entre el afán del polvo
   y la tristeza,
aquello que quisimos.

Nosotros lo sabemos porque a través del resplandor
   nocturno
el porvenir se alzó como una nube del último recinto,
el oculto, el vedado,
con nuestra sombra eterna entre la sombra.

Acaso lo sabían ya nuestros corazones.

CABALGATA DEL TIEMPO

Inútil. Habrá de ser inútil, nuevamente,
suspender de la noche, sobre densas corrientes de follaje,
la imagen demorada de un porvenir que alienta en la
    memoria;
penetrar en el ocio de los días que fueron dibujando con
    terror y paciencia
la misma alucinada realidad que hoy contemplo,
ya casi en la mirada;
repetir todavía con una voz que siento pesar entre mis
    manos:
—Alguna vez estuve, quizás regrese aún, a orillas de la paz,
como una flor que mira correr su bello tiempo junto al brazo
    de un río.

Todo ha de ser en vano.
Manadas de caballos ascenderán bravías las pendientes de su
    infierno natal
y escucharé su paso acompasado, su trote, su galope salvaje,
atravesando siglos y siglos de penumbra,
de sumisas distancias que irremediablemente los conducen
    aquí.

Tal vez sería dulce reconquistar ahora una música antigua,
profunda y persistente como el eco de un grito entre los
    sueños,
sumirse bajo el verde sopor de las llanuras
o morir con la lluvia, tristemente,
entre ramos llorosos que sombrearan viejísimas paredes.

Imposible. Sólo un fragor inmenso de ruinas sobre ruinas.
Es el desesperado retornar de los tiempos que no fueron
    cumplidos
ni en gloria de la vida ni en verdad de la muerte.
Es la amarga plegaria que levantan los ángeles rebeldes

llamando a cada sitio donde pueda morar su dios irrecobrable.
Es el tropel continuo de sus lucientes potros enlutados
que asoman a las puertas de la noche la llamarada enorme
    de sus greñas,
que apagan con mortajas de vapor y de polvo toda muda
    tiniebla,
agitando sus colas como lacios crespones entre la tempestad.
La sangre arrepentida, sus heroicas desdichas.

Y nada queda en ti, corazón asediado:
apenas si un color, si un brillo mortecino,
si el sagrado mensaje que dejara la tierra entre tus muros,
se pierden, a lo lejos,
bajo un mismo compás idéntico y glorioso como la eternidad.

CUANDO ALGUIEN SE NOS MUERE

Fue necesario el grave, solitario lamento del viento
  entre los árboles,
para que tú supieras más que nadie ese desesperado resonar,
ese rumor sombrío con que pueden decirse las palabras
cuando de nada vale su fugaz melodía,
cuando en la soledad
—la única apariencia verdadera—,
contemplamos, callando, los seres y los tiempos que fueron
  en nosotros
irrevocables muertes cuyos nombres no sabremos jamás.

Fue necesario el ocio de aquellas largas noches
que minuciosamente ordenaste en recuerdos, memorioso,
para que tú pasaras sosteniendo la sombra con tu sombra,
apenas presentida por los días,
con tu misma pausada palidez demorándose aún después
  de haberte ido,
porque era tu adiós la despedida última,
la última señal que acercaba los sueños desde el incontenible
  amanecer.

Fue necesario el lento trabajo de los años,
su rápido fulgor, su mustio decaer entre pesados muros
que sólo levantaron respuestas de ceniza a tu llamado,
para que tú miraras largamente tus despojadas manos
como a una llanura donde los vientos dejan polvaredas
  mortales,
mientras disponen, lejos,
la tempestad que arrase desmedida su sediento destino.

Fue necesario todo lo que fuimos contigo,
lo que somos contigo del lado de los llantos,
para saber, viviendo, cuánta sorda tiniebla te asediaba
y encontrarnos, después,
con el transido resplandor del aire que dejaste muriendo.

45

Porque todo ese tiempo
es el innumerable testigo que nos trae las mismas evidencias,
aquello en lo que fuiste cuanto eras, de una vez para siempre:
acostumbrados gestos,
ciertos ritos que cumpliera tu sangre sumisa a la memoria,
esos nocturnos pasos acercando los campos
donde la luz es sólo un repetido comienzo de penumbras,
las remotas paredes, las efímeras cosas a las que retornabas
con la triste paciencia de quien guarda afanoso, en la mirada,
paisajes habituales que más tarde
aliviarán el peso de las horas en sabido destierro.

Tú pedías tan poco.
Apenas si esperabas un tranquilo vivir que prolongara la
        duración de tu alma en idéntico amor,
en radiante amistad, en devoción sagrada
por gentes que existieron con la simple nobleza de la tierra,
sin glorias ni ambiciones.
Tú amabas lo inmortal, lo grandioso terrestre.

Mas nada pudo el débil llamado de tu vida contra pesadas
        puertas
—aposentos malditos, épocas miserables
donde la dicha duerme sordamente su legendario olvido—,
nada tu lejanía contra las invencibles mareas de lo inútil,
nada tu juventud contra ese rostro
que entre desalentadas rebeldías, nostalgias y furiosas
        pesadumbres,
infatigablemente se asomó a tus desvelos;
y una noche sentimos dentro del corazón un ronco oleaje,
amargamente vivo.
en el preciso sitio donde ardía en nosotros,
como nosotros mismos duradera,
tu callada grandeza.

Ahora estamos más solos por imperio de muerte,
por un cuerpo ganado como un palmo de tierra por la
        tierra baldía,

46

recobrando al conjuro del más lejano soplo
realidades perdidas en lo más olvidado de los antiguos días,
imágenes que juntos traspasamos, que juntos nos esperan;
porque no es el recuerdo del pasado dispersos ademanes
—hojarascas y ramas que encendemos
para llorar al humo de una lánguida hoguera—,
sino fieles señales de una región dormida que aguarda
    nuestro paso
con las huellas de antaño suspendidas como eternos ropajes.

No es por decir, Eduardo, cuando alguien se nos muere,
no hay un lugar vacío, no hay un tiempo vacío,
hay ráfagas inmensas que se buscan a solas, sin consuelo,
pues aquí, y más allá,
tanto de lo que él fue respira con nosotros la fatiga del
    polvo pasajero,
tanto de lo que somos reposa irrecobrable entre su muerte,
que así sobrevivimos
llevando cada uno una sombra del otro por los distantes cielos.
Alguna vez se acercarán,
entonces, cuando estemos contigo para siempre,
últimos como tú, como tú verdaderos.

LA DESCONOCIDA

Un día recogieron el indolente peso de su cuerpo bordeado
    por un sueño,
la ramazón de su alma balanceándose al soplo de iguales
    melodías,
todo su largo tiempo contenido por inmóviles redes;
y así quedó labrada
—un reflejo tan sólo de sus cambiantes, indomables sombras—
dentro de un corazón como una nervadura.

Allí no penetró ni el esplendor del aire desplegando el suspiro
    de las recientes flores,
ni la noche roída por esos tristes huecos que abandona al
    partir
todo cuanto ya fue desvanecido.
Ni claridad gloriosa como un saludo de alas relucientes,
ni penumbra de labios que musitan un desmayado adiós,
porque allí reina apenas la estéril duración de un momento
    cumplido,
un cielo sin anhelo de otros cielos,
la hija inalterable de una sorda memoria.

Pero donde los días entretejen pacientes sus coronas,
ella sintió filtrarse hasta sus venas las hondas estaciones,
el hechicero vuelo de la vida y la muerte
como dos mariposas que estremecen una ansiosa pradera.

¡Cuánta pasión rodando por sus dulces declives!
¡Cuánta quietud a la que el viento llega con sus manos
    salvajes
rescatando el despojo de unas ramas que ardieron hasta el
    polvo,
levantando el silvestre perfume de unas hierbas
y repitiendo el canto de lo hermoso que pasa!
¡Cuántos tallos mordidos por una sed que nada colma nunca!

48

¿Cómo encontrar bajo invencibles lianas
esa respuesta a un alma que interroga incesante,
ese lugar preciso para una oscura forma cuyos lindes se
borran
prolongándose en lágrimas, en huellas,
en ademanes vagos, en nombres tan inciertos para el amor
y el odio?

Ella lleva en sus brazos tantos restos de edades desoídas,
tanta vana esperanza, tantas ofrendas demasiado pródigas,
que se irán convirtiendo en ramo que se ahueca hasta ser un
color
cuando atraviese lóbregos recintos,
corredores sumidos en el eco monótomo de un tiempo,
herrumbes y letargos donde esperaba hallar las grandes
primaveras.

¡Oh tierra, juventud insaciable!
Cubridla de piedad,
de promesas lucientes como un río al caer de un relámpago,
cuando ella se asome a la cerrada cavidad de un pecho que
ha servido a un recuerdo
y contemple, todavía ignorante,
lo mismo que a través de un cristal empañado por la
respiración de pálidos helechos,
a aquella que vivió tan sólo un gesto suyo,
solitario, perdido,
el inmutable rostro de la desconocida.

CORTEJO HACIA UNA SOMBRA

Lejos van nuestros gestos,
las palabras recién desamparadas,
la imagen de los cuerpos prisionera del aire,
a entretejer distantes otro tiempo con todo lo que acaso
sobreviva a nuestra vida misma.

De nosotros emigran las tristezas con sus alas nocturnas,
las dichas inasibles como un cálido vaho que levanta la tierra
adormilada,
el triste resonar de las tardes cumplidas en odio o en amor,
las viejas alegrías cuyo adiós demoramos lo mismo que las
voces que los árboles huecos rememoran,
los cielos entreabiertos de las revelaciones,
el terror, las plegarias,
todo cuanto sostiene la ansiedad, la fatiga de no alcanzar
jamás un memorable olvido.

Desde lo más callado de nosotros emigran esos lentos cortejos
para poblar, lejanos, la inviolable comarca donde habita
nuestro propio destino,
y donde cada paso se abisma en el clamor de otros pasos que
fueron,
y luego se despide,
y retorna en la luz, pálidamente, a un débil despertar que
sólo nos ayuda a salir de nosotros.

Así llegan a veces esos días mentidos
de los que el corazón se aleja, soñoliento, ataviado de fieles
pesadumbres,
porque antaño vivió sus mismas agonías;
y aun los increíbles,
aquellos que recobran momentos tan efímeros,
tantos sueños dispersos,
tantas sombras que nunca se unieron en nosotros

y que llaman, perdidas, como alguien que despierta de
   pronto en otro reino.

Ahora, cuando la juventud recorre como un río el semblante
   ligero de las horas dispuestas a partir:
¿quién reconocería el valor de una lágrima a lo lejos,
la inmensa resonancia de una noche cualquiera,
junto al gran resplandor en el que ardiendo bellamente
   se extinguen
tantas cosas que aquí soñamos para siempre todavía?

Ahora, cuando yo me pregunto
en qué región nacida al conjuro del llanto o al llamado de la
   hierba apacible,
en qué lerdo sendero desvelado por ávidos ramajes o por
   el indolente redoblar de las lluvias,
en qué mirada ajena,
en qué ademán tan mío, melancólicamente apasionado,
encontraré ese tiempo al que cada llegada me condujo:
esa sombra de siempre,
la esperada.

LAS MUERTES
1952

LAS MUERTES

He aquí unos muertos cuyos huesos no blanqueará la lluvia,
lápidas donde nunca ha resonado el golpe tormentoso de la
    piel del lagarto,
inscripciones que nadie recorrerá encendiendo la luz de
    alguna lágrima;
arena sin pisadas en todas las memorias.
Son los muertos sin flores.
No nos legaron cartas, ni alianzas, ni retratos.
Ningún trofeo heroico atestigua la gloria o el aprobio.
Sus vidas se cumplieron sin honor en la tierra,
mas su destino fue fulmíneo como un tajo;
porque no conocieron ni el sueño ni la paz en los infames
    lechos vendidos por la dicha,
porque sólo acataron una ley más ardiente que la ávida
    gota de salmuera.
Ésa y no cualquier otra.
Ésa y ninguna otra.
Por eso es que sus muertes son los exasperados rostros de
    nuestra vida.

GAIL HIGHTOWER

No quería más que paz y pagué sin regatear el precio que me pidieron.

(WILLIAM FAULKNER: *"Luz de Agosto"*).

Yo fui Gail Hightower,
Pastor y alucinado,
para todos los hombres un maldito
y para Dios ¡quién sabe!
Mi vida no fue amor, ni piedad, ni esperanza.
Fue tan sólo la dádiva salvaje que alimentó el reinado de
un fantasma.
Todos mis sacrilegios, todos mis infortunios,
no fueron más que el precio de una misma ventana en cada
atardecer.
¿Qué aguardaba allí el réprobo? ¿Qué paz lo remunera?
Un zumbido de insectos fermentando en la luz como en
un fruto,
la armonía de un coro sostenido por la expiación y la
violencia,
y después el estruendo de una caballería que alcanza entre
los tiempos ese único instante en que el cielo y la
tierra se abismaron como por un relámpago;
esa gloria fulmínea que arde entre el estampido de una
bala y el trueno de un galope.
Aquélla fue la muerte de mi abuelo.
Aquél es el momento en que yo,
Gail Hightower veinte años antes de mi nacimiento,
soy todo lo que fui:
un ciego remolino que alienta para siempre en la aridez
de aquella polvareda.
¿Qué perdón, qué condena,
alumbrarán el paso de una sombra?

CARINA

Yo morí de un corazón hecho cenizas.
(CROMMELYNCK: *"Carina"*).

Adiós, gacela herida.
Tu corazón manando dura nieve es ahora más frío que la
    corola abierta en la escarcha del lago.
Déjame entre las manos el último suspiro
para envolver en cierzo el desprecio que rueda por mi cara,
el asco de mirar la cenagosa piel del día en que me quedo.
Duerme, Carina, duerme,
allá, donde no seas la congelada imagen de toda tu desdicha,
ese cielo caído en que te abismas cuando muere la gloria
    del amor,
y al que la misma muerte llegará ya cumplida.
Tu soledad me duele como un cuerpo violado por el crimen.
Tu soledad: un poco de cada soledad.
No. Que no vengan las gentes.
Nadie limpie su llanto en el sedoso lienzo de tu sombra.
¿Quién puede sostener siquiera en la memoria esa estatua
    sin nadie donde caes?
¿Con qué vano ropaje de inocencia ataviarían ellos tu
    salvaje pureza?
¿En qué charca de luces mortecinas verían esconderse el
    rostro de tu amor consumido en sí mismo como el fuego?
¿Desde qué innoble infierno medirían la sagrada vergüenza
    de tu sangre?
Siempre los mismos nombres para tantos destinos.
Y aquel a quien amaste,
el que entreabrió los muros por donde tu pasado huye sin
    detenerse como por una herida,
sólo puede morder el polvo de tus pasos,
y llorar, nada más que llorar con las manos atadas,
llorar sobre los nudos del arrepentimiento.
Porque no resucitan a la luz de este mundo los días que
    apagamos.
No hablemos de perdón. No hablemos de indulgencia.

Esos pálidos hijos de los renunciamientos,
esos reyes con ojos de mendigo contando unas monedas en
    el desván raído de los sueños,
cuando todo ha caído
y la resignación alza su canto en todos los exilios.
Duerme, Carina, duerme,
triste desencantada,
amparada en tu muerte más alta que el desdén,
allá, donde no eres el deslumbrante luto que guardas por
    ti misma,
sino aquella que rompe la envoltura del tiempo
y dice todavía:
Yo no morí de muerte, Federico,
morí de un corazón hecho cenizas.

EL EXTRANJERO

El pasó entre vosotras,
gentes amables como el calor del fuego en la choza vecina.
Mas ¿qué fue vuestro acento sino un puñal mellado que
    vacila en la hondura del pecho?
Él os miró pasar,
días adormilados como bestias en sumisas praderas.
Mas ¿qué fue vuestra paz sino arenas ardiendo debajo de los
    párpados?
Lejos corría el viento que no deja salobres las mejillas.
Lejos hay un lugar para su sombra junto a la fresca sombra
    de los antepasados.
Lejos será el ausente menos ausente ahora.
¡Oh! Secad vuestras lágrimas
que nada son para la sed del extranjero.
Guardad vuestras plegarias:
él no pedía amor ni otro exilio en el cielo.
Y dejad que la tierra levante sus arrullos de injuriada
    madrastra:
"Yo guardo un corazón tan áspero y hostil como la hoja
    de la higuera".

CHRISTOPH DETLEV BRIGGE

> *La muerte de Christoph Detlev*
> *vivía ahora en Ulsgaard, desde ha-*
> *cía largo, largo tiempo, y habla-*
> *ba a todos y exigía.*
>
> (RAINER MARÍA RILKE: *"Los Cua-*
> *dernos de Malte Laurids Brigge"*).

Esta mansión de Ulsgaard se colmó con la muerte de
    Christoph Detlev Brigge.
Tan sólo con su muerte.
No bebió su veneno a grandes cucharadas
ni le llegó hasta el pecho emboscada en la sombra creciente
    de los pinos.
Él llevaba su muerte entre la sangre:
galerías ardientes en donde los espejos proclamaron la reina
    prometida.
Y un día vino a él como la esposa loca.
Sesenta días y sesenta noches testimonian la boda colérica
    en Ulsgaard:
una endecha de amor que llega al alarido,
un cortejo de perros y de criados desgarrando la niebla de
    las gasas nupciales,
una marea cuya hirviente ira derribó los objetos que aún
    sobrevivían pegados como lapas a la piel de un destino.
¿A quién no convocaron las campanas para los esponsales?
¿Quién no temió morir llevado por la muerte de Christoph
    Detlev Brigge?
Esta mansión lo sabe.
De unos a otros muros resonaba la marcha de aquellos
    desposados;
recinto tras recinto retrocedía el tiempo apagando sus galas,
hasta llegar al último,
aquel en que la vida, lo mismo que una amante desechada,
    escondió entre las manos los cristales de su rostro trizado.
Ya todo fue cumplido.
En esta mansión vaga solamente la muerte de Christoph
    Detlev Brigge envuelta en estandartes imperiales.

N O I C A

(*Personaje de un cuadro de* J. BATTLE PLANAS).

Nunca oísteis su nombre.
Sin embargo, cuando un sueño cualquiera entretejió
    fosforescentes redes sobre el rostro del tiempo,
Noica estuvo.
Tal vez su cabellera fuera para vosotros la marea letárgica
    por donde sube al cielo la primer Navidad
—esa novia que flota con su ramo de cristal escarchado y
    una cinta plateada en la garganta—.
Acaso sus ropajes fueran para vosotros un ámbito en que
    caen lentamente las hojas,
cuando el amor golpea con sus manos el follaje encantado.
Lo cierto es que fue Noica,
la diosa de los seres subterráneos que disponen callando
    el esplendor del mundo.
Reconocedla ahora.
Antes que se haya ido para ser melodía de polvo contra el
    vidrio, sombra musgosa de los muros.
Guardadla para siempre en esta misma puerta abierta en el
    celaje de los siglos,
donde se balancea, despidiéndose,
como la luminaria en el claro final de la arboleda.
Del otro lado yace su reino alucinado.
Nunca entraréis en él.
Juntos se abismarán debajo del recuerdo y del olvido.

MALDOROR

¡Ay! ¿Qué son pues el bien y el mal? ¿Son una misma cosa por la que testimoniamos con rabia nuestra impotencia y la pasión de alcanzar el infinito hasta por los medios más insensatos?

(LAUTRÉAMONT: *"Los cantos de Maldoror"*).

Tú, para quien la sed cabe en el cuenco exacto de la mano, no mires hacia aquí.

No te detengas.

Porque hay alguien cuyo poder corromperá tu dicha, ese trozo de espejo en que te encierras envuelto en un harapo deslumbrante del cielo.

Se llamó Maldoror
y desertó de Dios y de los hombres.

Entre todos los hombres fue elegido para infierno de Dios y entre todos los dioses para condenación de cada hombre.

Él estuvo más solo que alguien a quien devuelven de la muerte para ser inmortal entre los vivos.

¿Qué fue de aquel a cuyo corazón se enlazaron las furias con brazos de serpiente,
del que saltó los muros para acatar las leyes de las bestias;
del que que bebió en la sangre un veneno sediento,
del que no durmió nunca para impedir que un prado celeste le invadiera la mirada maldita,
del que quiso aspirar el universo como una bocanada de cenizas ardiendo?

No es castigo,
ni es sueño,
ni puñado de polvo arrepentido.

Del vaho de mi sombra se alza a veces la centelleante máscara de un ángel que vuelve en su caballo alucinado a disputar un reino.

Él sacude mi casa,
me desgarra la luz como antaño la piel de los adolescentes,

y roe con su lepra la tela de mis sueños.
Es Maldoror que pasa.
Hasta el fin de los siglos levantará su canto rebelde contra
el mundo.
Su paso es una llaga sobre el rostro del tiempo.

MISS HAVISHAM

Aquí yace Miss Havisham,
lujosa vanidad del desencanto.
Un día se vistió para la dicha con su traje de muerte,
sin saberlo.
Era la hora exacta en que alcanzaba la música de un sueño
cuando alguien cortó con duro golpe las cuerdas mentirosas
del amor,
y quedó desasida, cayendo hacia lo oscuro como una nube
rota.
Todo fue clausurado.
No invadir el recinto donde una novia hueca recogió para
el odio los escarchados trozos de su corazón.
Quien entró fue elegido para expiar ciegamente todo el llanto.
No levantar los sellos.
Las manos de la luz habrían dispersado los flotantes ropajes,
los manteles roídos por tenaces dinastías de insectos,
las aguas del espejo enturbiadas aún después de la caída
de la última imagen.
los lugares desiertos donde los comensales serían calmos
deudos
alrededor de una desenterrada,
de una novia marchita fosforeciendo aún en venganza y
desprecio.
Ahora ya está muerta.
Pasad.
Ésa es la escena que los años guardaron en orgulloso polvo
de paciencia,
es la suntuosa urdimbre donde cayó como una colgadura
envuelta por las llamas de su muerte.
Fue una espléndida hoguera.

Sí. Nada hace mejor fuego que la vana aridez,
que ese lóbrego infierno en que está ardiendo por una
eternidad,
hasta que llegue Pip y escriba debajo de su nombre:
"la perdono".

BARTLEBY

Había rehusado decir quién era,
o de dónde venía, o si tenía al-
gún pariente en el mundo.
(HERNMAN MELVILLE: *"Bartleby"*).

Nadie supo quién fue.
Nunca estuvo más cerca de los hombres que de los mudos
    signos.
Él hubiera podido enumerar los días que soportó vestido
    de gris desesperanza,
o describir siquiera la sombra de los sueños sobre el muro
    vacío.
Mas prefirió no hacerlo.
Nos queda solamente la mascarilla pálida,
la mirada serena con que eludió el llamado de todos los
    destinos,
la imagen de su muerte desoladoramente semejante a su vida.
No queremos pensar que fue parte en nosotros,
que fue nuestra constancia a las pacientes leyes que
    ignoramos.
Todos hemos sentido alguna vez la pavorosa y ciega soledad
    del planeta,
y hasta el fondo del alma rueda entonces la piedrecilla cruel,
conmoviendo un misterio más grande que nosotros.
¡Oh Dios! ¿Es preciso saber que no podemos interpretar
    las cifras inscriptas en el muro?
¿Es preciso que aullemos como perros perdidos en la noche
     ᵧ quᵣ ᵴeamos Bartleby con los brazos cruzados?
Preferimos no hacerlo.
Preferimos creer que Bartleby fue sólo memoria de consuelos,
    de perdón, de esperanzas que llegaron muy tarde para
    los que se fueron;
testigo de un gran fuego donde ardió la promesa de un
    tiempo que no vino.
No será en ese cielo. En otro nos veremos.
Él estará también pálidamente absorto contemplando la otra
    cara del muro.
Deberá recordar una por una todas las cartas muertas.
Pero acaso aun entonces él prefiera no hacerlo.

....L I E V E N S

La niña se creía la única niña en el mundo, acaso. ¿Sabía siquiera que era una niña?

(J. SUPERVIELLE: *"La niña de alta mar"*).

Esa criatura ha muerto,
Charles Lievens.
¿Para qué detener su marcha en la obediencia de un
    idéntico día?
¿Por qué guardar su imagen como el ángel helado que habita
    una burbuja en el cristal del tiempo?
Nadie puede llegar a compartir su rostro.
Nadie puede llamarla del lado de la luz o el de las sombras.
No cantará en la rueda de la ronda celeste que gira con el
    humo en el azul atardecer,
ni habrá nunca una casa con olor a costumbres,
ni padre que atraviese sobre el mapa, después de cada viaje,
    la mariposa incierta del destino,
ni madre en cuyas lágrimas todos estén unidos por un mismo
    relámpago.
Porque sólo es el eco de tu ciega nostalgia memoriosa,
la flotante sonámbula que palpa las paredes en un perdido
    corredor del mar.
¿De qué vale que en nadie pueda morir ahora, si tampoco
    podemos morir entre su sangre?
Ya no la pienses más.
Somos tantos en otros, que acaso es necesario desenterrar
    del fondo de cada corazón el semblante distinto,
la bujía enterrada con que abrimos las últimas tinieblas,
para saber que estamos completamente muertos.
No la detengas más.
Déjale recobrar entre la muerte sus antiguas edades,
el olvidado nombre, la historia de los seres que son huecos
    desiertos en los vanos retratos,
la esperanza de ser algo más que la sombra de la sombra
    de un Dios que nos está soñando a todos, Charles Lievens.

JAMES WAITT

Yo, James Waitt,
hijo del miedo y la impostura,
tenía un cofre con monedas y un infame secreto.
Las monedas resonarán al paso de Donkin, el astuto emisario
    de mi muerte,
y el secreto me rozará la cara por los siglos como una
    rama seca.
¿Dónde está el verdadero James Waitt?
En un barco alcanzaba las riberas del ocio
simulando agonías más fastuosas que un incendio en los
    bosques.
Pero un día la cólera marina silbó sobre su espalda como
    un látigo.
¿Dónde está el verdadero James Waitt?
En un barco alcanzaba las afanosas islas
simulando un poder más obstinado que las raíces en la
    primavera.
Pero un día la codicia terrestre esgrimió la verdad como un
    relámpago.
Me arrojaron al mar envuelto en un sudario de amenaza
    y terror que llamaron plegaria.
¡Piedad para James Waitt!
que conquistó la vida con la faz engañosa de la muerte
y penetró en la muerte con el rostro ilusorio de la vida.
Nadie venga a buscarlo.
Rasguñará en el limo lo mismo que las ratas en la viscosidad
    del maderamen,
hasta que el mar lo sorba como a un brebaje oscuro tras
    la máscara lisa de una lona.
Nadie diga su nombre para el último día.
James Waitt no tendrá rostro.

A N D E L S P R U T Z

¿Por qué está muerta la ciudad de Andelsprutz y cuándo se quedó sin alma?

(LORD DUNSANY: *"Cuentos de un soñador"*).

Mi nombre era Andelsprutz,
infortunada hija de Akla muerta en el cautiverio.
Treinta guirnaldas fueron en mi frente la promesa y el
    llanto de mi madre.
Treinta guirnaldas fueron los treinta aniversarios en que el
    conquistador velaba iluminado por la luz de su espada.
Pero ninguna flor fue paz ni fue venganza.
Tan sólo mi locura
—ese árbol ardiendo entre la selva helada—
proclamó la caída de la última noche.
Y yo salí de mí siendo yo y siendo ajena lo mismo que
    las sombras.
Yo descendí mis gradas y marché hacia los montes con mi
    vestido gris de niña ciega que busca otra morada,
y los cabellos como un haz de llamas,
y el ángel del consuelo golpeándome la espalda con sus
    manos de polvo alucinado.
¿Dónde estaba la llave? ¿Dónde la puerta que abre el
    nuevo nacimiento?
Vinieron mis hermanas,
aquellas que hace siglos tienen un mismo rostro en la
    memoria,
en la pequeña eternidad que el hombre crea para sus propias
    muertes,
y alumbraron mi paso en la penumbra.
Nadie regresará por esas huellas porque Andelsprutz no
    es más la conquistada.
Viajeros, contempladme:
mis lámparas no encienden una reunión de gentes que
    entretejen esperanza y paciencia,
ni mis muros se estrían con las lágrimas de los que desesperan,
ni mi color es dulce y resignado como el de un viejo clima.
Mis frutos son apenas desabridos.

Conquistadores:·
descansad tranquilos.
¿Qué puede profanar un sueño sin orgullo?
No guardáis más que piedras sobre piedras en honor de mi
    muerte.
Emisarios:
no traigáis más guirnaldas.
Y decid a mi madre que soy la bien venida
aquí, donde comienzo a ser la huérfana y ella un poco
    la ausente que ya no espero en vano.
(Del único testigo,
del que escuchó el aullido de las bestias y las campanas de
    las catedrales clamando con mi voz en el desierto,
de aquel que vio perderse mi alma fugitiva en las moradas
    de la lejanía,
alguien dirá que caminaba envuelto en sus propias tinieblas.
Pero decid, ¿quién puede sobrellevar a solas, sin quebranto,
    la imagen del prodigio?
Y más aún, decidme si un corazón amante y solitario,
si un árido sagrario donde ardemos irrevocablemente
    perdidos y llorados,
no puede ser tal vez nuestro sitio en el cielo.)

CARLOS FIALA

Estoy aquí porque me lo han mandado. No estoy aquí porque quiera nada para mí, ni para ser recompensado.
(FRANZ WERFEL: *"La muerte del pequeño burgués"*).

Nació un cinco de enero.
Tenía que vivir sesenta y cinco años porque así estaba escrito
en todos los papeles.
No fue un rostro esperado,
ni el sueño de un jardín donde los girasoles son el tambor
absorto del verano,
ni el miedo de partir y volver a llamar desde la lejanía sin
que nadie responda.
No un obstinado afán de prolongar la gloria miserable de
felpas y retratos.
Fue un humilde legado lo que su voluntad compraba día
a día.
Día a día escuchamos el tintinear sombrío. de la oscura
moneda de la muerte.
Pero no lo sabíamos.
Del lado de los hombres el tiempo era tan sólo el color
de unas hojas que perduran palideciendo hasta la
extenuación.
Del lado de los hombres él yacía en su cuerpo lo mismo
que el heroico morador de una casa donde todo ha caído,
donde légamo y ruinas se disputan un palmo de corazón
aciago,
ese aliento que aún brota sofocado por la respiración de
unas hiedras mortales,
la última memoria de una tierra baldía.
Del lado de los dioses el tiempo era una insignia de sangre
y de coraje.
Del lado de los dioses él estaba de pie, insomne en su portal,
aguardando el relevo.
En vano desfilaron las muchachas sedosas como un vaho
estival, .
los viejos compañeros del Regimiento Real de Infantería,

o los adoradores de unas sagradas leyes que acatara con
todo su terror o toda su esperanza.
¿Qué podían las máscaras brillantes, los rastros engañosos
para la cacería?
Él era el centinela de una dura consigna.
Ninguna otra obediencia, ningún otro castigo.
Hasta que las banderas enrojezcan la niebla
y un galope salvaje, un toque de trompetas resuenen como
el trueno,
y el carruaje imperial atraviese la tierra rodando con la
última moneda de la muerte.
Carlos Fiala, a la orden.
Murió el siete de enero.
Debajo de su almohada había un calendario y un ribete
dorado.

EVANGELINA

Duerme aquí Evangelina.
Su dulce tierra fue tan leve
que en un día cualquiera la invadieron los cielos.
En ningún corazón tatuó su nombre como en una corteza.
Ningún semblante amado se sumergió en la aureola de su
    sueño.
Alguien recuerda a veces vagamente su vestido celeste:
"Acaso es el color de esa estación brumosa que envolvió
    con sus gasas las altas alamedas...
o quizás el hechizo de algún cuento de infancia
donde había una barca abandonada llevando entre las noches
    de cierto aniversario unas pálidas flores por los ríos".
Nadie lo sabrá nunca.
No es ésta la morada de ninguna memoria,
de ningún olvido.
Por eso aquí la hierba es sólo hierba,
pero hierba celeste.

LA VÍSPERA DEL PRÓDIGO

Yo, el que vela arropado en la inocencia,
soy el que no partió cuando mi último soplo extinguió la bujía.
Pero ¿quién descifró lentamente los fabulosos- signos?
¡Oh, lejano!
¿Quién buscaba en las nubes el espejo donde duerme la
    imagen de secretos países?
¿Quién oía otras voces quejándose en el viento contra el
    cristal golpeado?
¿Quién inscribió con fuego su nombre en los maderos para
    que fuese anuncio ardiente por las playas?
¡Oh, mensajeros!
Otro es el que se fue.
Mas por su rostro paso a veces como si aún se viera en el
    globo azogado de la infancia que el tiempo balancea;
y hasta mí llega a veces, tras las frondas errantes, el fulgor
    de su mísera realeza.
No me juzguéis ahora.
Esperadlo conmigo.
Su muerte ha de alcanzarme tanto como su vida.

EL PRÓDIGO

Aquí hay un tibio lecho de perdón y condenas
—injurias del amor—
para la insomne rebeldía del Pródigo.
Sí. Otra vez como antaño alguien se sobrecoge cuando la
    soledad asciende con un canto radiante por los muros,
y el aliento remoto de lo desconocido le recorre la piel lo
    mismo que la cresta de una ola salvaje.
"Levántate. Es la hora en que serás eterno."
Y otra vez como antaño alguien corta sin lágrimas unas
    ajadas cintas que lo ataban al cuadro familiar
y sepulta una llave bajo el ácido musgo del olvido.
Detrás queda una casa en donde su memoria será sombra
    y relámpago.
Él probará otros frutos más amargos que el llanto de la
    madre,
arderá en otras fiebres cuyas cóleras ciegas aniquilen la
    maldición del padre,
despertará entre harapos más brillantes que el codicioso
    imperio del hermano.
¿Hay algún sitio aún donde la libertad levante para él su
    desafío?
Allí está su respuesta: una furiosa ley sin paz y sin amparo.
Pero noche tras noche,
mientras la sed, el hambre y el deseo dormitan junto al fuego
    como errantes mendigos que soñaran una fábula
    espléndida,
otras escenas vuelven tras el cristal brumoso de su llanto
y un solo rostro surge desde el fondo de los gastados rostros
lo mismo que el monarca a través de la herrumbre de las
    viejas monedas.
Es el antiguo amor.
El elegido ahora cuando el Pródigo torna a rescatar la llave
    de la casa.
Ha pagado su precio con el mismo sudario de un gran sueño.

¡Oh redes, duras redes que intentáis contener el viento de
    setiembre:
permitidle pasar!
No vino por perdón: no le obliguéis a expiar con el orgullo.
No vino por condena: no le obliguéis a amar con indulgencia.
Otra vez como antaño sólo vino con un ramo de ofrendas
    a cambio de otros dones.
No haya más juez que tú,
Dios implacable y justo.

Yo, Olga Orozco, desde tu corazón digo a todos que muero.
Amé la soledad, la heroica perduración de toda fe,
el ocio donde crecen animales extraños y plantas fabulosas,
la sombra de un gran tiempo que pasó entre misterios y entre
    alucinaciones,
y también el pequeño temblor de las bujías en el anochecer.
Mi historia está en mis manos y en las manos con que otros
    las tatuaron.
De mi estadía quedan las magias y los ritos,
unas fechas gastadas por el soplo de un despiadado amor,
la humareda distante de la casa donde nunca estuvimos,
y unos gestos dispersos entre los gestos de otros que no me
    conocieron.
Lo demás aún se cumple en el olvido,
aún labra la desdicha en el rostro de aquella que se buscaba
    en mí igual que en un espejo de sonrientes praderas,
y a la que tú verás extrañamente ajena:
mi propia aparecida condenada a mi forma de este mundo.
Ella hubiera querido guardarme en el desdén o en el orgullo,
en un último instante fulmíneo como el rayo,
no en el túmulo incierto donde alzo todavía la voz ronca y
    llorada
entre los remolinos de tu corazón.
No. Esta muerte no tiene descanso ni grandeza.
No puedo estar mirándola por primera vez durante tanto tiempo.
Pero debo seguir muriendo hasta tu muerte
porque soy tu testigo ante una ley más honda y más oscura
    que los cambiantes sueños,
allá, donde escribimos la sentencia:
"Ellos han muerto ya.
Se habían elegido por castigo y perdón, por cielo y por
    infierno.
Son ahora una mancha de humedad en las paredes del primer
    aposento".

LOS JUEGOS PELIGROSOS
1962

LA CARTOMANCIA

Oye ladrar los perros que indagan el linaje de las sombras.
óyelos desgarrar la tela del presagio.
Escucha. Alguien avanza
y las maderas crujen debajo de tus pies como si huyeras sin
    cesar y sin cesar llegaras.
Tú sellaste las puertas con tu nombre inscripto en las cenizas
    de ayer y de mañana.
Pero alguien ha llegado.
Y otros rostros te soplan el rostro en los espejos
donde ya no eres más que una bujía desgarrada,
una luna invadida debajo de las aguas por triunfos y combates,
por helechos.

Aquí está lo que es, lo que fue, lo que vendrá, lo que puede
    venir.
Siete respuestas tienes para siete preguntas.
Lo atestigua tu carta que es el signo del Mundo:
a tu derecha el Angel,
a tu izquierda el Demonio.

¿Quién llama?, ¿pero quién llama desde tu nacimiento hasta
    tu muerte
con una llave rota, con un anillo que hace años fue enterrado?
¿Quiénes planean sobre sus propios pasos como una bandada
    de aves?
Las Estrellas alumbran el cielo del enigma.
Mas lo que quieres ver no puede ser mirado cara a cara
porque su luz es de otro reino.
Y aún no es hora. Y habrá tiempo.

Vale más descifrar el nombre de quien entra.
Su carta es la del Loco, con su paciente red de cazar mariposas.
Es el huésped de siempre.

Es el alucinado Emperador del mundo que te habita.
No preguntes quién es. Tú lo conoces
porque tú lo has buscado bajo todas las piedras y en todos
los abismos
y habéis velado juntos el puro advenimiento del milagro:
un poema en que todo fuera ese todo y tú
—algo más que ese todo—.
Pero nada ha llegado.
Nada que fuera más que estos mismos estériles vocablos.
Y acaso sea tarde.

Veamos quién se sienta.
La que está envuelta en lienzos y grazna mientras hila
deshilando tu sábana
tiene por corazón la mariposa negra.
Pero tu vida es larga y su acorde se quebrará muy lejos.
Lo leo en las arenas de la Luna donde está escrito el viaje,
donde está dibujada la casa en que te hundes como una estría
pálida
en la noche tejida con grandes telarañas por tu Muerte
hilandera.
Mas cuídate del agua, del amor y del fuego.

Cuídate del amor que es quien se queda.
Para hoy, para mañana, para después de mañana.
Cuídate porque brilla con un brillo de lágrimas y espadas.
Su gloria es la del Sol, tanto como sus furias y su orgullo.
Pero jamás conocerás la paz,
porque tu Fuerza es fuerza de tormentas y la Templanza llora
de cara contra el muro.
No dormirás del lado de la dicha,
porque en todos tus pasos hay un borde de luto que presagia
el crimen o el adiós,
y el Ahorcado me anuncia la pavorosa noche que te fue
destinada.

¿Quieres saber quién te ama?
El que sale a mi encuentro viene desde tu propio corazón.
Brillan sobre su rostro las máscaras de arcilla y corre bajo su
   piel la palidez de todo solitario.
Vino para vivir en una sola vida un cortejo de vidas y de
   muertes.
Vino para aprender los caballos, los árboles, las piedras,
y se quedó llorando sobre cada vergüenza.
Tú levantaste el muro que lo ampara, pero fue sin querer
   la Torre que lo encierra:
una prisión de seda donde el amor hace sonar sus llaves de
   insobornable carcelero.
En tanto el Carro aguarda la señal de partir:
la aparición del día vestido de Ermitaño.
Pero no es tiempo aún de convertir la sangre en piedra de
   memoria.
Aún estáis tendidos en la constelación de los Amantes,
ese río de fuego que pasa devorando la cintura del tiempo
   que os devora,
y me atrevo a decir que ambos pertenecéis a una raza de
   náufragos que se hunden sin salvación y sin consuelo.

Cúbrete ahora con la coraza del poder o del perdón, como si
   no temieras,
porque voy a mostrarte quién te odia.
¿No escuchas ya batir su corazón como un ala sombría?
¿No la miras conmigo llegar con un puñal de escarcha a tu
   costado?
Ella, la Emperatriz de tus moradas rotas,
la que funde tu imagen en la cera para los sacrificios,
la que sepulta la torcaza en tinieblas para entenebrecer el
   aire de tu casa,
la que traba tus pasos con ramas de árbol muerto, con uñas
   en menguante, con palabras.
No fue siempre la misma, pero quienquiera que sea es ella
   misma,
pues su poder no es otro que el ser otra que tú.
Tal es su sortilegio.
Y aunque el Cubiletero haga rodar los dados sobre la mesa
   del destino,

y tu enemiga anude por tres veces tu nombre en el cáñamo
    adverso,
hay por los menos cinco que sabemos que la partida es vana,
que su triunfo no es triunfo
sino tan sólo un cetro de infortunio que le confiere el Rey
    deshabitado,
un osario de sueños donde vaga el fantasma del amor que
    no muere.

Vas a quedarte a oscuras, vas a quedarte a solas.
Vas a quedarte en la intemperie de tu pecho para que hiera
    quien te mata.
No invoques la Justicia. En su trono desierto se asiló la
    serpiente.
No trates de encontrar tu talismán de huesos de pescado,
porque es mucha la noche y muchos tus verdugos.
Su púrpura ha enturbiado tus umbrales desde el amanecer
y han marcado en tu puerta los tres signos aciagos
con espadas, con oros y con bastos.
Dentro de un círculo de espadas te encerró la crueldad.
Con dos discos de oro te aniquiló el engaño de párpados
    de escamas.
La violencia trazó con su vara de bastos un relámpago azul
    en tu garganta.
Y entre todos tendieron para ti la estera de las ascuas.

He aquí que los Reyes han llegado.
Vienen para cumplir la profecía.
Vienen para habitar las tres sombras de muerte que escoltarán
    tu muerte
hasta que cese de girar la Rueda del Destino.

ESPEJOS A DISTANCIA

I

Tú, testigo tan implacable y fiel como la piedra al sol del
  mediodía,
búscame en algún sitio donde sea más fuerte que el sabor
  del tiempo,
tráeme desde algún lugar donde las aguas del diluvio hayan
  bajado,
y yo esté allí aún,
envuelta con el manto de los invulnerables
después de toda prueba.

Y es como una burbuja desprendida de la espuma del cielo.
Veo abierta de par en par una ventana sólo para salir a la
  intemperie,
sólo para seguir este reguero de migajas sombrías que lleva
  hasta la muerte.
Veo un jardín inmenso sepultado en la huella de una pata
  de pájaro.
Y la casa que crece entre los sueños con raíces de locura
  furiosa,
la casa que simula a la distancia navíos y combates,
se ha levantado y anda debajo de la arena.
Veo unas gradas en las que retumba la cabeza del miedo
—olas, galope y trueno—,
cercenada de pronto por el primer cuchillo que guardo en
  la nostalgia.
Cae, cae conmigo hasta el regazo.
¡Oh piedad! ¡Oh sangre siempre insomne del corazón materno,
lúcida como la hierba me has guardado!
Y yo tengo en los ojos el tamaño de lo irrecobrable.
Soy apenas ese fulgor del oro perdido que cualquiera puede
  mirar desde sus propias lágrimas.

II

Tú, ladrón de la gloria y la miseria,
merodeador de tantas escenas
que se encienden después igual que un talismán en el fondo
    del alma,
desentierra el lejano amor del huésped,
ábreme las cavernas donde fui arrebatada con ese brillo de
    ascua,
déjame contemplar en la nostalgia de esas vivas estatuas que
    miran hacia atrás.

Y es un vapor que sube desde cada caldera donde me están
    hirviendo,
un vaho de salvajes corazones en el ritual del hambre,
un humo de expiación que asciende desde el fin de toda
    hoguera.
¿Quién era yo, desnuda, bajo esos velos de eternidad tejidos
    por la sed en el palacio de los espejismos?
Cara de cuenco blanco, hecha para beber el ácido brebaje del
    olvido:
no me puedo mirar.
¿Quién era yo en un lecho con orillas de río, en una barca
    en llamas que corría más allá del abismo?
Cara de cuenco rojo, roída por los dientes veloces del deseo:
quienquiera que te vio te ha perdido entre mil.
¿Quién era yo con una piedra de inocencia en cada mano para
    ahuyentar las invencibles sombras?
Cara de cuenco negro, trizada por el golpe del engaño:
nadie ha quedado en ti.
¿Quién era yo?
¿Quién era, puñado de cenizas?

III

Tú, cómplice de la rampa del abismo,
con ese brillo de ángel caído entre dos mundos,
ilumina este rostro que pugna por asomar desde mi nacimiento,
muéstrame a la que mide con mirada de siglos la distancia
    que me aparta de mí,
a la que marca con un tatuaje fúnebre todo cuanto me habita,
lo mismo que una herida.

Y es como una bujía que asciende desde el fondo del estanque.
Hay un fulgor de verde venenoso,
una luna que avanza como la emanación de vegetales
    milenarios.
Ella pega sus mejillas de reina leprosa contra el cristal del
    invernáculo.
—Carne desconocida,
carne vuelta hacia adentro para sentir pasar el arenal del
    mundo,
carne absorta, arrojada a la costa por el desdén del alma—.
Yo no entiendo esta piel con que me cubren para
    deshabitarme.
No comprendo esta máscara que anuncia que no estoy.
¿Y estos ojos donde está suspendida la tormenta?
¿Esta mirada de ave embalsamada en mitad de su vuelo?
¿He transportado años esta desolación petrificada?
¿La he llevado conmigo para que me tapiara como un muro
    la tierra prometida?
Entonces, este cuerpo, ¿habrá estado tal vez tan lejos de la
    vida
como ahora está lejos de su muerte?
Sin embargo la tierra en algún lado está partida en dos;
en algún lado acaba de cambiarse en una cifra inútil sobre las
    tablas de la revelación;
en algún lado,
donde yo soy a un tiempo la esfinge y la respuesta.
Que se calle mi nombre en esa boca como en un sepulcro.
Voy a empezar a hablar entre los muertos.
Voy a quedarme muda.

NO HAY PUERTAS

Con arenas ardientes que labran una cifra de fuego sobre el
tiempo,
con una ley salvaje de animales que acechan el peligro desde
su madriguera,
con el vértigo de mirar hacia arriba,
con tu amor que se enciende de pronto como una lámpara
en medio de la noche,
con pequeños fragmentos de un mundo consagrado para la
idolatría,
con la dulzura de dormir con toda tu piel cubriendo el costado
del miedo,
a la sombra del ocio que abría tiernamente un abanico de
praderas celestes,
hiciste día a día la soledad que tengo.

Mi soledad está hecha de ti.
Lleva tu nombre en su versión de piedra,
en un silencio tenso donde pueden sonar todas las melodías
del infierno;
camina junto a mí con tu paso vacío,
y tiene, como tú, esa mirada de mirar que me voy más lejos
cada vez,
hasta un fulgor de ayer que se disuelve en lágrimas, en nunca.

La dejaste a mis puertas como quien abandona la heredera
de un reino del que nadie sale y al que jamás se vuelve.
Y creció por sí sola,
alimentándose con esas hierbas que crecen en los bordes del
recuerdo
y que en las noches de tormenta producen espejismos
misteriosos,
escenas con que las fiebres alimentan sus mejores hogueras.

La he visto así poblar las alamedas con los enmascarados que
inmolan el amor
—personajes de un mármol invencible, ciego y absorto como
la distancia—,
o desplegar en medio de una sala esa lluvia que cae junto
al mar,
lejos, en otra parte,
donde estarás llenando el cuenco de unos años con un agua
de olvido.
Algunas veces sopla sobre mí con el viento del sur
un canto huracanado que se quiebra de pronto en un gemido
en la garganta rota de la dicha,
o trata de borrar con un trozo de esperanza raída
ese adiós que escribiste con sangre de mis sueños en todos
los cristales
para que hiera todo cuanto miro.

Mi soledad es todo cuanto tengo de ti.
Aúlla con tu voz en todos los rincones.
Cuando la nombro con tu nombre
crece como una llaga en las tinieblas.

Y un atardecer levantó frente a mí
esa copa del cielo que tenía un color de álamos mojados y en
la que hemos bebido el vino de eternidad de cada día,
y la rompió sin saber, para abrirse las venas,
para que tú nacieras como un dios de su espléndido duelo.
Y no pudo morir
y su mirada era la de una loca.

Entonces se abrió un muro
y entraste en este cuarto con una habitación que no tiene
salidas
y en la que estás sentado, contemplándome, en otra soledad
semejante a mi vida.

REPETICIÓN DEL SUEÑO

Como una criatura alucinada
a quien ya sólo guiara la incesante rotación de la luna entre
    los médanos,
o como un haz de mariposas amarillas sumergidas por el farol
    de las tormentas
en el vértigo del miedo y de la oscuridad,
o quizá más aun como la ahogada que desciende hasta el fondo
    del estanque
girando con un lento remolino de adiós,
así voy convocada, sin remedio,
hasta alcanzar mi sombra de extranjera en la niebla,
hasta pasar los muros que llevan paso a paso a la condena,
hasta entrar en la noche en que el malhechor asume las
    apariencias del sueño
para mejor herir sin ningún desafío.
Ése es mi más allá tras la única puerta que se abre cada día
    hacia la misma jaula
en donde la costumbre grazna sobre sus alimentos de naufragio.

Él me espera vestido de terciopelo negro,
envuelto por la dulce pesadumbre del duelo que no llega
    jamás,
y su rostro vacío, fundiéndose en la nieve dorada de otro
    tiempo,
exhala una luz muerta,
un fulgor como de viejas lágrimas guardadas para la
    acusación.
Yo me acerco a través de esos relampagueantes espejismos
    de ayer que me anuncian una vez más mi propio sacrificio,
pero debo llegar
igual que un personaje prometido por las mareas del pasado
    para un día cualquiera,
a la hora azul pálido de las inmolaciones,

hasta un lugar que ahora es el del sueño que se pierde conmigo
  y nadie sabe.
Porque ahora él separa con este solo golpe de cuchillo
  la envoltura del mundo
y abre de par en par los grandes cielos de las transformaciones.

Sin embargo, esta herida del corazón por donde salgo,
estas gradas sin fin por donde ruedo con la velocidad de la
  distancia,
estas aguas que giran y se aquietan de pronto para cristalizar
  en una sombra igual a mi destino,
me conducen de nuevo a la cárcel de espejos que arroja cada
  noche a la noche en que muero.

Aunque nada me diga al despertar que yo sea yo misma.

PARA SER OTRA

Una palabra oscura puede quedar zumbando dentro del
   corazón.
Una palabra oscura puede ser el misterio de otros nombres
   que tuve.
Una palabra oscura puede volver a levantar el fuego y la
   ceniza.

"Matrika Doléesa,
llora por mí.
Matrika Doléesa,
vuelve por mí.
Ven a buscar el ascua del esplendor
sepultada en mi mano."

Y unas ramas sobre la cabeza bastan
para desenterrar una reina borrada por las plumas de un
   dominio salvaje.
Conservo de ese tiempo el tatuaje que deja una sombra de
   triste idolatría en todo cuanto toco,
una respiración de plantas sofocadas que exhalan un veneno
   semejante al del sueño,
el puñado de piedras siemprevivas donde hierve la sangre dè
   mis antepasados,
un poder en tinieblas encerrado por el vuelo de un pájaro
y esta máscara fúnebre que avanza desde el fondo de mi rostro
   cuando nadie me mira.
Entre las ceremonias del amor
ninguna es comparable al matrimonio del sol y de la luna.
El sabor de los días es como un talismán que preservara del
   gusto de morir,
y el éxtasis y el pavor son como dos tormentas que vienen y
   se van
llevadas por el bostezo de una larga, larguísima pereza.

"Griska Soledama,
no llores por mí.
Griska Soledama,
no vuelvas por mí.
Rompe el cristal de invierno
donde guardas mis lágrimas."

Y desde no sé dónde, los cabellos llorosos
anudados por unas cintas grises que despliegan un viaje de
    huérfana en la lluvia
vuelven con el color de la nostalgia.
He guardado ese rostro como de ramo hallado en una tumba,
un pedazo de vidrio para verme pasar embalsamada delante
    del cortejo de lo que nunca vuelve,
y las historias del amor o el miedo
labradas por el llanto sobre unas piedrecitas que señalan mi
    descenso al olvido.
Alguien me llama a veces desde una casa que hunde sus raíces
    de arena en la distancia que llamamos nunca,
y otras veces despierto en mi memoria con el olor de los países
    donde nunca estuve.
Porque mi exilio está conmigo.
Cuando me alejo crezco, como las catedrales.
Quienes más me conocen me recuerdan como a una bujía
    apenas entrevista detrás de una ventana,
o las aparecidas que surgen desde el fondo del estanque en su
    ataúd de hierbas,
y llaman desde el costado de la luz a ciegas,
llaman.

"Darvantara Sarolam,
junta nuestros despojos.
Darvantara Sarolam,
búscanos la salida.
Toma el grano de trigo funerario,
tómalo desde el fondo de cada eternidad."

Entonces, la que no duerme en mí
levanta la cabeza de sonámbula como una luminaria entre
    las colgaduras de la fiebre.
Siempre este gusto a sed,
    esta mano que incendia con mi mano las grandes asambleas
    de la sombra,
    esta mirada que no ve para mirar mejor debajo de las aguas.
Yo escarbo en mi memoria otra memoria como un desván
    en llamas
donde se ocultan cifras entretejidas con molduras,
enigmas disfrazados de falsos personajes de la ley,
revelaciones encubiertas con ropones de hiedra, entre restos
    de espejos,
poderes enmascarados por la promesa de la muerte.
Todo arde aquí, inmóvil en su envoltura inalcanzable.
Y alguien da la señal.
Las aguas suben en una estría azul que rompe las paredes.
Voy a poder mirar.
Voy a desenterrar la palabra perdida entre las ruinas de cada
    nacimiento.

¿Y este nombre secreto con que me nombran todos y se
    nombran?
Ya soy ajena a mí,
pero es el mundo entero quien emigra conmigo
como un solo organismo arrebatado de cada cautiverio, de
    cada soledad,
por esa bocanada de las grandes nostalgias.
Y de pronto, ¿este desgarramiento,
esta palpitación en medio de la noche que corta su atadura
    en la vena más honda de la tierra,
este fondo de barca que asciende sobre un lecho de plumaje
    celeste,
este portal aún entre la niebla,
este solo recuerdo del porvenir desde el comienzo de los siglos?
¿Quién soy? ¿Y dónde? ¿Y cuándo?

DIA PARA NO ESTAR

Vete, día maldito;
guarda bajo tus párpados de yeso la mirada de lobo que me
    olvida mejor;
camina sobre mí con tu paso salvaje, simulando un desierto
    entre el hambre y la sed,
para que todos crean que no estoy,
que soy una señal de adiós sobre las piedras;
cierra de par en par, lejos de mí, tus fauces sin crueldad
    y sin misericordia,
como si fuera ya la invulnerable,
aquella que sin pena puede probarse ya los gestos de los otros;
y tiéndete a dormir, bajo la ciega lona de los siglos,
el sueño en que me arrojas desde ayer a mañana:
esta escarcha que corre por mi cara.
Aun así, he de llegar contigo.
Aun así, has de resucitar conmigo entre los muertos.

EL ADIOS

La sentencia era como esos calcos en que el relieve del amor
   deja un vacío semejante a sus culpas.
Me arrojaron al mundo en mi ataúd de hielo.
Una tierra sin nombre todavía corrió sobre este rostro con que
   habito en la desconocida:
era la tierra del castigo.
Era la hora en que comienzo a despertar entre los muertos
   con la evidencia de un anillo roto,
un vestido de momia desprendido de las vendas del cielo
y un espejo de sal donde puede leerse mi destino.
El porvenir no es nada más que mirar hacia atrás.

Debajo de esas nubes desgarradas
hay una casa en llamas
en donde los amantes trasmutaban en oro de eternidad
   el resplandor de un día,
o tomaban las apariencias de ladrones de pájaros
aprisionando entre los hilos del ocio las metamorfosis de sus
   propias imágenes.
Hay una luz dorada que hiere hasta las lágrimas;
hay un lecho también
como una barca invadida por el follaje del deseo
—unas hojas carnosas que exhalan el perfume de los más
   largos viajes—.
Y había siempre y nunca
como ahora vueltos de pronto boca abajo.

Corazón repudiado,
animal aterido en uno de los dos costados de tu sangre,
ignorabas entonces que tendrías la forma de un retablo de la
   creación hecho pedazos,
que alguna vez la noche del adiós te nombraría en voz muy
   baja

98

como nombra la soledad a sus testigos,
o como llaman aquellos que se van a los que nunca vuelven.

Ahora, de espaldas contra el muro que custodia el guardián
de todo nacimiento,
sólo te quedan las apariciones,
el fantasma de un tiempo que gritará contigo en el estanque
muerto de algún sueño,
cuando él duerme, tan lejos en su adiós.
Un soborno de plumas para una ley de fuego.

PARA HACER TU TALISMÁN

Se necesita sólo tu corazón
hecho a la viva imagen de tu demonio o de tu dios.
Un corazón apenas, como un crisol de brasas para la idolatría.
Nada más que un indefenso corazón enamorado.
Déjalo a la intemperie,
donde la hierba aúlle sus endechas de nodriza loca
y no pueda dormir,
donde el viento y la lluvia dejen caer su látigo en un golpe
    de azul escalofrío
sin convertirlo en mármol y sin partirlo en dos,
donde la oscuridad abra sus madrigueras a todas las jaurías
y no logre olvidar.
Arrójalo después desde lo alto de su amor al hervidero de la
    bruma.
Ponlo luego a secar en el sordo regazo de la piedra,
y escarba, escarba en él con una aguja fría hasta arrancar
    el último grano de esperanza.
Deja que lo sofoquen las fiebres y la ortiga,
que lo sacuda el trote ritual de la alimaña,
que lo envuelva la injuria hecha con los jirones de sus antiguas
    glorias.
Y cuando un día un año lo aprisione con la garra de un siglo,
antes que sea tarde,
antes que se convierta en momia deslumbrante,
abre de par en par y una por una todas sus heridas:
que las exhiba al sol de la piedad, lo mismo que el mendigo,
que plaña su delirio en el desierto,
hasta que sólo el eco de un nombre crezca en él con la furia
    del hambre:
un incesante golpe de cuchara contra el plato vacío.

Si sobrevive aún,
si ha llegado hasta aquí hecho a la viva imagen de tu demonio
    o de tu dios;

100

he ahí un talismán más inflexible que la ley,
más fuerte que las armas y el mal del enemigo.
Guárdalo en la vigilia de tu pecho igual que a un centinela.
Pero vela con él.
Puede crecer en ti como la mordedura de la lepra;
puede ser tu verdugo.
¡El inocente monstruo, el insaciable comensal de tu muerte!

SI ME PUEDES MIRAR

Madre: es tu desamparada criatura quien te llama,
quien derriba la noche con un grito y la tira a tus pies como
    un telón caído
para que no te quedes allí, del otro lado,
donde tan sólo alcanzas con tus manos de ciega a descifrarme
    en medio de un muro de fantasmas hechos de arcilla ciega.
Madre: tampoco yo te veo,
porque ahora te cubren las sombras congeladas del menor
    tiempo y la mayor distancia,
y yo no sé buscarte,
acaso porque no supe aprender a perderte.
Pero aquí estoy, sobre mi pedestal partido por el rayo,
vuelta estatua de arena,
puñado de cenizas para que tú me inscribas la señal,
los signos con que habremos de volver a entendernos.
Aquí estoy, con los pies enredados por las raíces de mi sangre
    en duelo,
sin poder avanzar.
Búscame entonces tú, en medio de este bosque alucinado
donde cada crujido es tu lamento,
donde cada aleteo es un reclamo de exilio que no entiendo;
donde cada cristal de nieve es un fragmento de tu eternidad,
y cada resplandor, la lámpara que enciendes para que no me
    pierda entre las galerías de este mundo.
Y todo se confunde.
Y tu vida y tu muerte se mezclan con las mías como las
    máscaras de las pesadillas.
Y no sé dónde estás.
En vano te invoco en nombre del amor, de la piedad o del
    perdón,
como quien acaricia un talismán,
una piedra que encierra esa gota de sangre coagulada capaz
    de revivir en el más imposible de los sueños.
Nada. Solamente una garra de atroces pesadumbres que
    descorre la tela de otros años

descubriendo una mesa donde partes el pan de cada día,
un cuarto donde alisas con manos de paciencia esos pliegues
que graban en mi alma la fiebre y el terror,
un salón que de pronto se embellece para la ceremonia de
mirarte pasar
rodeada por un halo de orgullosa ternura,
un lecho donde vuelves de la muerte sólo por no dolernos
demasiado.
No. Yo no quiero mirar.
No quiero aprender otra vez el nombre de la dicha en el
momento mismo en que roen su rostro los enormes
agujeros,
ni sentir que tu cuerpo detiene una vez más esa desesperada
marea que lo lleva,
una vez más aún,
para envolverme como para siempre en consuelo y adiós.
No quiero oír el ruido del cristal trizándose,
ni los perros que aúllan a las vendas sombrías,
ni ver cómo no estás.
Madre, madre, ¿quién separa tu sangre de la mía?,
¿qué es eso que se rompe como una cuerda tensa golpeando
las entrañas?,
¿qué gran planeta aciago deja caer su sombra sobre todos los
años de mi vida?
¡Oh, Dios! Tú eras cuanto sabía de ese olvidado país de
donde vine,
eras como el amparo de la lejanía,
como un latido en las tinieblas.
¿Dónde buscar ahora la llave sepultada de mis días?
¿A quién interrogar por el indescifrable misterio de mis
huesos?
¿Quién me oirá si no me oyes?
Y nadie me responde. Y tengo miedo.
Los mismos miedos a lo largo de treinta años.
Porque día tras día alguien que se enmascara juega en mí a las
alucinaciones y a la muerte.
Yo camino a su lado y empujo con su mano esa última puerta,
esa que no logró cerrar mi nacimiento
y que guardo yo misma vestida con un traje de centinela
funerario.

¿Sabes? He llegado muy lejos esta vez.
Pero en el coro de voces que resuenan como un mar
    sepultado
no está esa voz de hoja sombría desgarrada siempre por el
    amor o por la cólera;
en esas procesiones que se encienden de pronto como bujías
    instantáneas
no veo iluminarse ese color de espuma dorada por el sol;
no hay ninguna ráfaga que haga arder mis ojos con tu olor
    a resina;
ningún calor me envuelve con esa compasión que infundiste
    a mis huesos.
Entonces, ¿dónde estás?, ¿quién te impide venir?
Yo sé que si pudieras acariciarías mi cabeza de huérfana.
Y sin embargo sé también que no puedes seguir siendo tú
    sola,
alguien que persevera en su propia memoria,
la embalsamada a cuyo alrededor giran como los cuervos unos
    pobres jirones de luto que alimenta.
Y aunque cumplas la terrible condena de no poder estar cuando
    te llamo,
sin duda en algún lado organizas de nuevo la familia,
o me ordenas las sombras,
o cortas esos ramos de escarcha que bordan tu regazo para
    dejarlos a mi lado cualquier día,
o tratas de coser con un hilo infinito la gran lastimadura de mi
    corazón.

LA CAIDA

Estatua del azul, deshabitada,
bella estatua de sal,
desconocida fatalidad adonde voy con los ojos abiertos y la
    memoria a ciegas:
¿eres tú quien me llama con una gran nostalgia, fuerte como
    el amor?
¿eres tú quien me aspira de pronto hacia la ronca garganta
    de los siglos?
¿eres acaso tú, incesante comienzo de mi culpa?
(¡Oh alma!, ¿adónde vas?,
¿adónde vas con las tinieblas y la luz como dos alas abiertas
    para el vuelo?)
Estatua del azul: yo no puedo volver.
Me exilaste de ti para que consumiera tu lado tenebroso.
Y aún tengo las dos caras con que rodé hasta aquí, igual que
    una moneda;
y la piedra que anudaste a mi cuello para que fuese dura la
    caída;
y la sombra que arrastro
—esta mancha de escarnio que pregona tu condena en el
    mundo—.
(¡Oh sangre! ¿adónde vas?
¿adónde vas como el doble de Dios y con la espada hundida
    en tu costado?)
Bella estatua de sal: tú no puedes llegar.
Te desterraste en mí para escarbarme con uñas y con dientes,
para cavar debajo de mi corazón esta tumba del cielo
donde caes y caes expiación hacia abajo y plegaria hacia
    adentro.
Reconoce la herida: mírala en todas partes.
Es la desgarradura con que habitas en todo cuanto miro,
el paraíso roto,
la señal del exilio que te lleva a partir y a volver a nacer en
    este mismo oficio de tinieblas,

la morada de paso para el crimen,
el pecado de muerte que te convierte en juez, en mártir y en
   verdugo
hasta que se desprenda en negro polvo la mascarilla última,
esa que te recubre con la cara del hombre.

¡Oh Dios, mitad de Dios cautiva de Dios mismo!
¿Quién llama cuando llamo? ¿Quién? ¿Quién pide socorro
   desde todas partes?
Hay aquí una escalera,
una sola escalera sin tinieblas para el día tercero.

LLEGA EN CADA TORMENTA

¿Y no sientes acaso tú también un dolor tormentoso sobre la
    piel del tiempo,
como de cicatriz que vuelve a abrirse allí
donde fue descuajado de raíz el cielo?
¿Y no sientes a veces que aquella noche junta sus jirones en
    un ave agorera,
que hay un batir de alas contra el techo,
como un entrechocar de inmensas hojas de primavera en duelo
o de palmas que llaman a morir?
¿Y no sientes después que el expulsado llora,
que es un rescoldo de ángel caído en el umbral,
aventado de pronto igual que la mendiga por una ráfaga
    extranjera?
¿Y no sientes conmigo que pasa sobre ti
una casa que rueda hacia el abismo con un chocar de loza
    trizada por el rayo,
con dos trajes vacíos que se abrazan para un viaje sin fin,
con un chirriar de ejes que se quiebran de pronto como las
    rotas frases del amor?
¿Y no sientes entonces que tu lecho se hunde como la nave
    de una catedral arrastrada por la caída de los cielos,
y que un agua viscosa corre sobre tu cara hasta el juicio
    final?

Es otra vez el légamo.
De nuevo el corazón arrojado en el fondo del estanque,
prisionero de nuevo entre las ondas con que se cierra un sueño.

Tiéndete como yo en esta miserable eternidad de un día.
Es inútil aullar.
De estas aguas no beben las bestias del olvido.

PARA DESTRUIR A LA ENEMIGA

Mira a la que avanza desde el fondo del agua borrando el día
con sus manos,
vaciando en piedra gris lo que tú destinabas a memoria de
fuego,
cubriendo de cenizas las más bellas estampas prometidas por
las dos caras de los sueños.
Lleva sobre su rostro la señal:
ese color de invierno deslumbrante que nace donde mueres,
esas sombras como de grandes alas que barren desde siempre
todos los juramentos del amor.

Cada noche, a lo lejos, en esa lejanía donde el amante duerme
con los ojos abiertos a otro mundo adonde nunca llegas,
ella cambia tu nombre por el ruido más triste de la arena;
tu voz, por un sollozo sepultado en el fondo de la canción que
nadie ya recuerda;
tu amor, por una estéril ceremonia donde se inmola el crimen
y el perdón.
Cada noche, en el deshabitado lugar adonde vuelves,
ella pone a secar la cifra de tu edad al bajar la marea,
o cose con el hilo de tus días la noche del adiós,
o prepara con el sabor del tiempo más hermoso ese turbio
brebaje que paladeas en la soledad,
ese ardiente veneno que otros llaman nostalgia
y que tan lentamente transforma el corazón en un puñado de
semillas amargas.

No la dejes pasar.
Apaga su camino con la hoguera del árbol partido por el rayo.
Arroja su reflejo donde corran las aguas para que nunca vuelva.
Sepulta la medida de su sombra debajo de tu casa para que
por su boca la tierra la reclame.
Nómbrala con el nombre de lo deshabitado.

108

Nómbrala.
Nómbrala con el frío y el ardor,
con la cera fundida como una nieve sucia donde cae la forma
    de su vida,
con las tijeras y el puñal,
con el rastro de la alimaña herida sobre la piedra negra,
con el humo del ascua,
con la fosa del imposible amor abierta al rojo vivo en su
    costado,
con la palabra de poder
nómbrala y mátala.

Y no olvides sepultar la moneda.
Hacia arriba la noche bajo el pesado párpado del invierno más
    largo.
Hacia abajo la efigie y la inscripción:
"Reina de las espadas,
Dama de las desdichas,
Señora de las lágrimas:
en el sitio en que estés con dos ojos te miro,
con tres nudos te ato,
la sangre te bebo
y el corazón te parto."

· Si miras otra vez en el fondo del vaso,
sólo verás ahora una descolorida cicatriz cuyos bordes se
    cierran donde se unen las aguas,
pero pueden abrirse en otra herida, adonde nadie sabe.

Porque ella te fue anunciada en el séptimo día,
—en el día primero de tu culpa—,
y asumiste su nombre con el tuyo,
con los nombres vacíos, con el amor y con el número,
con el mismo collar de sal amarga que anuda la condena a tu
    garganta.

ENTRE PERRO Y LOBO

Me clausuran en mí.
Me dividen en dos.
Me engendran cada día en la paciencia
y en un negro organismo que ruge como el mar.
Me recortan después con las tijeras de la pesadilla
y caigo en este mundo con media sangre vuelta a cada lado:
una cara labrada desde el fondo por los colmillos de la furia
    a solas,
y otra que se disuelve entre la niebla de las grandes manadas.
No consigo saber quién es el amo aquí.
Cambio bajo mi piel de perro a lobo.
Yo decreto la peste y atravieso con mis flancos en llamas las
    planicies del porvenir y del pasado;
yo me tiendo a roer los huesecitos de tantos sueños muertos
    entre celestes pastizales.
Mi reino está en mi sombra y va conmigo dondequiera que
    vaya,
o se desploma en ruinas con las puertas abiertas a la invasión
    del enemigo.
Cada noche desgarro a dentelladas todo lazo ceñido al corazón,
y cada amanecer me encuentra con mi jaula de obediencia
    en el lomo.
Si devoro a mi dios uso su rostro debajo de mi máscara,
y sin embargo sólo bebo en el abrevadero de los hombres
    un aterciopelado veneno de piedad que raspa las entrañas.
He labrado el torneo en las dos tramas de la tapicería:
he ganado mi cetro de bestia en la intemperie,
y he otorgado también jirones de mansedumbre por trofeo.
Pero ¿quién vence en mí?
¿Quién defiende mi bastión solitario en el desierto, la sábana
    del sueño?
¿Y quién roe mis labios, despacito y a oscuras, desde mis
    propios dientes?

110

SOL EN PISCIS

Solamente los muertos conocen el reverso de las piedras.
Solamente las piedras conocen el reverso de los muertos.
Lo sé.
A veces las estatuas vuelven a abrir en mí ciertas heridas
o toman el color de las acusaciones que me impiden dormir.
Pero hay pruebas que nadie quiere ver.
Se atribuyen al tiempo, a las tormentas,
a la sombra de pájaro con que los días se alzan o se dejan
        caer sobre la tierra.
Nadie quiere pensar que hay muchas muertes por cada corazón.
Tantas como muertos nos lloren.
Tantas como piedras los sigan lamentando.

Existe una canción que entre todos levantan desde los fríos
        labios de la hierba.
Es un grito de náufragos que las aguas propagan borrando
        los umbrales para poder pasar,
una ráfaga de alas amarillas,
un gran cristal de nieve sobre el rostro,
la consigna del sueño para la eternidad del centinela.

¿Dónde están las palabras?
¿Dónde está la señal que la locura borda en sus tapices a la
        luz del relámpago?
Escarba, escarba donde más duela en tu corazón.
Es necesario estar como si no estuvieras.

He aquí el pequeño guijarro recogido para la gran memoria.
De este lado no es más que un pedazo de lápida sin inscripción
        alguna.
Y sin embargo desde allá es como un talismán que abre las
        puertas de mi vida.

111

Por sus meandros azules llego a veces más allá de mis venas:
cerraduras que giran contra la misteriosa rotación de los años,
vértigos de continuas despedidas que ahora me despiden a
    través de mis lágrimas de entonces,
hasta ser nada más que una cinta brillante,
un fulgor que ilumina ese fondo de abismo donde caigo hacia
    el fondo del cielo,
tan ávido como el tambor que invoca las tormentas.

Heroína de miserias, balanceándote ahora casi al borde de tu
    alma,
no mires hacia atrás, no te detengas,
mientras arde a lo lejos la galería de las apariencias,
las máscaras del sueño que labraste sobre ciegas cortezas para
    poder vivir.

A solas con tu nombre, contra el portal resplandeciente,
a solas con la herida del exilio desde tu nacimiento,
a solas con tu canción y tu bujía de sonámbula para alumbrar
    los rostros de los desenterrados;
porque ésa es la ley.
A solas con la luna que arrastra en las mareas del más alto
    jardín de la memoria
un rumor de leyendas desgarradas por la crueldad de la
    distancia:
"Cuando llegues del otro lado de ti misma
podrás reconocer el puñal que enterraste para que tú vinieras
    despojada de todo poderío.
Si avanzas más allá
encontrarás la fórmula que yace bajo los centelleos de todos
    los delirios.
Si consigues pasar
alcanzarás la Rueda que avanza hacia el poniente."

Pero no hay arma alguna que arrebate a mi vida su inocencia,
ni retablo enterrado en cuyo espejo de oro se abran las flores
    de otros mundos,
ni carruaje que avance con el rayo.

112

Sin embargo, esta palabra sin formular,
cerrada como un aro alrededor de mi garganta,
ese ruido de tempestad guardada entre dos muros,
esas huellas grabadas al rojo vivo en las fosforescencias de la
    arena,
conducen a este círculo de cavernas salvajes
a las que voy llegando después de consumir cada vida y su
    muerte.
Celdas tornasoladas del adiós para siempre, para nunca,
y cada una se abre hacia las otras con la fisura de una gran
    nostalgia
por donde pasa el soplo de los siglos,
la mariposa gris que envuelve con sus nieblas al huésped
    solitario,
a ese que ya fui o al que no he sido en este y otros mundos.
El que entreteje sus coronas con la ceniza de la tierra,
el que reluce con cabeza de león como un sol heráldico entre
    las tinieblas,
el que sueña conmigo como con una cárcel de muros
    transparentes,
esta que soy queriendo guardar la eternidad en el polvo de
    cada sonrisa,
el que se cubre con ropajes de águila para volar más lejos
    que la mirada de los hombres,
los que habitan aquí o en otro lado lejos de las investiduras
    de la sangre
y no puedo nombrar,
y el que rescatará la coraza de luz
—su día levantado palmo a palmo con la noche de los otros—
para cruzar la última puerta del arcano.

Oh sombra de claridad sobre mi rostro,
relámpago entrevisto desde el fondo del agua:
tu signo está grabado sobre todas las frentes para la ceremonia
    de la duración,
para la travesía de todos los recintos en cuyo fondo te alzas
    como una llamarada de la gran añoranza,
como los espejismos de un perdido país anunciado por el sueño
    y la sed,

el miedo y la nostalgia,
y el insaciable tiempo que llevamos de migración en migración
como una brasa que quema demasiado.

Todos los grandes vértigos del alma nacen del otro lado de
las piedras.

No hay crespones.
Ni carteles que digan que se han ido como todos los días.
Pero la hierba muda en el umbral ¿no te recuerda nada?
¿No te recuerda acaso a la sonámbula que vela en los espejos
para que nada invada nada?
¿No eres acaso tú vista del otro lado,
tú, con tus ojos de mirar más lejos?
La que aprendió el terror en los signos del humo,
o la que abrió una estría en el tabique de los sueños ajenos
para verse morir,
puede decirte ahora si se han muerto o si yacen dormidos.
¡Has visto tantas veces cruzar sobre la fase más triste de la
luna
el semblante de aquellos que ya estaban muy altos!
¿Cómo no has de poder desentrañar entonces lo último que
fuiste tras la última puerta del amor,
aunque tu llave sea ya como una antorcha debajo de las aguas?
"Sí.
Ella se convirtió en cera transparente.
Pero allí en el costado de la condenación
su pecho se ha fundido en una flor abierta contra un cristal
de invernadero.
Él quedó envuelto en hielo.
Pero allí en el costado de los remordimientos
los días sin vivir se abren como la onda de la piedra en el lago.
No sé si hay que llorar.
Ambos están tendidos en su abrazo de adiós
arrebatado para siempre a los mármoles del cielo
y a las losas sangrientas del infierno."
Es una hermosa historia para noches de escarcha, junto al
fuego,
cuando en cada mirada se humedece la cinta de las
degollaciones.
(Oh, sí, los crímenes del amor,

115

los inmolados de hoy por la fe de mañana.)
Mas no están muertos, no.
¿No alcanzas a escuchar el susurro de cada promesa, de cada
    abandono,
como un cordaje tenso sumergido en la almohada?
O acaso sea el roce de un ala de nostalgia contra la urdimbre
    de la noche.
O tal vez simplemente el zumbido del tiempo tatuando la
    esperanza sobre el corazón.
Lo cierto es que algo vibra,
algo palpita allí entre labios de piedra
que no fueron cerrados para guardar el canto de la sangre
    cernida por el polvo,
sino un rumor que sólo reconocen los que deben volver:
el desvarío del porvenir en la garganta del pasado.
Tú, la deshabitada,
¿no oyes que resuena dentro de ti lo mismo que el llamado en
    la casa vacía?

Él lo estará escuchando dondequiera que esté.

EN DONDE LA MEMORIA ES UNA TORRE EN LLAMAS

No, ninguna caída logró trocarse en ruinas
porque yo alcé la torre con ascuas arrancadas de cada infierno
    del corazón.
Tampoco ningún tiempo pronunció ningún nombre con su boca
    de arena
porque de grada en grada un lenguaje de fuego los levantó
    hasta el cielo.

Nadie se muere aquí.
Una criatura vela
envuelta entre sus plumas de ángel invulnerable
jugando con ayer convertido en mañana.
Vuelve a escarbar con un trozo de espejo los terrenos
    prohibidos,
la oscuridad sin nombre todavía,
para entregar a cada huésped la llave al rojo vivo que abrirá
    cualquier puerta hacia este lado,
una consigna de sobreviviente
y las semillas de su eternidad
—un áspero alimento con un sabor a sed que nunca cesa—.

Nadie se pierde aquí.
A la entrada de cada laberinto
la adolescente aguarda con un ovillo sin fin entre las manos.
Otra vez del costado donde perdura el eco,
una vez más del lado que se abre como un faro hacia la
    soledad,
hay un hilo que corre solamente desde siempre hasta nunca,
que ata con unos nudos invencibles las ligaduras de la
    separación.
Con ese mismo hilo tejía sus disfraces de araña la impostura
y el estrangulador, noche tras noche, preparaba su lazo mejor
    para mañana.
Pero ella sonríe aún detrás de su cristal de azul melancolía
escribiendo sobre el vaho de las nuevas traiciones las más

117

viejas promesas
con un tizón ardiendo,
para que nadie pierda la señal,
para que a nadie borre ni siquiera el perdón.

Nadie sale de aquí.
Yo convierto los muros en ansiosas hogueras que alimento con
    sal de la nostalgia,
con raíces roídas hasta el frío del alma por la intemperie
    y el destierro.
Yo cierro con mis ojos todas las cerraduras.
No hay grieta que se entreabra como en una sonrisa para
    burlar la ley,
ni tierra que se parta en la vergüenza, ·
ni un portal de cenizas labrado por la cólera, el sueño o el
    desdén.
Nada más que este asilo de paso hacia el final,
donde siempre es ahora en todas partes al sol de la vigilia,
donde los corredores guardan bajo sus alas de ladrones de
    adiós a todo mensajero del destino,
donde las cámaras de las torturas se abren en una escena de
    dicha o infortunio que ninguna distancia consigue restañar,
y por cada escalera se asciende una vez más hasta el fondo
    de la misma condena.

Ésta es la torre en llamas en medio de las torres fantasmas del
    invierno
que huelen a guarida de una sola estación,
a sótano cerrado sobre unas aguas quietas que nadie quiere
    abrir.
A veces sus emisarios vienen para trocar cada cautivo ardiente
    por una sombra en vuelo.
Entonces oigo el coro de las apariciones.
Llaman áridamente igual que una campana sepultada.
Zumban como un enjambre elaborando para mi memoria un
    ataúd de reina helada en el exilio.

Mis días en los otros ya no son nada más que una semilla seca,
un hilo roto,
la irrevocable momia del olvido.

118

FERIA DEL HOMBRE

Esta es la barraca del hambre hecha con piel de lobo y vaho
del invierno.
Cuando entras, los disfraces acaban de llegar.
Elige el que convenga a tu gran aventura,
el que mejor te encubra entre las cuatro tablas de tu ley.
Sólo te falta el arma con que al matar te mates.
Yo elegí los delirios, las magias y el amor.

Aquí comienza la madriguera de los sobrevivientes.
Son los que están de pie, sobre el pecho roído de los otros.
Se alimentan con sal de las memorias,
con la harina enlutada de alguna eternidad,
con el vino sagrado que destilan los corazones fieles.
Cada día la mano llega y los parte en dos con un golpe de
acero:
la cabeza en las nubes, el cuerpo en un abismo.
Pero mitad y mitad, como la culpa y el remordimiento,
se juntan cada día en un solo castigo.
Es un juego que empieza con la inocencia del amor, en un
cristal de miedo,
y que sigue después y más tarde hasta nunca en los negros
espejos de la soledad.

Ese tren que se acerca envuelto en llamas
es ese tren fantasma que atraviesa todos los aposentos y no
llega jamás.
Corre con la velocidad de los deseos
arrastrando el jadeo de las fiebres y el humo del olvido.
Cuando miras acaba de pasar.
Sólo queda el latido de un tiempo inalcanzable.
Es un tren del adiós.
Es un tren de viajeros condenados a contemplar el mundo en
una polvareda.

119

De una estación a otra, de un verano a un otoño,
desembocas en medio del invierno hecho de flores rotas.
Si subes, no tendrás nada más.

Zona de pastos secos en tierra de miseria
y de fieras que brillan como el oro de la revelación al sol del
    mediodía.
Se trata de vencer o de morir.
Todo consiste en convertirse en lazo o en puñal,
en despertar un día púrpura de verdugo que se teme a sí
    mismo,
en descubrir el sitio justo del sacrificio.
Si te rindes, puedes vivir a expensas de tu mismo animal,
en un costado de la madriguera.
Pero no gritarás ni en medio de los sueños.
También puedes ser pasto.
Puedes crecer debajo de tus pies.

Ellos caminan sobre vidrios que los separan de la tierra,
ellos absorben fuego y clavan en su piel mariposas y ramas
    que nadie puede ver.
Cantan con una cinta en la garganta y bendicen el radiante
    telón que cae en el patíbulo.
Sus heridas brillan como lujosas pedrerías en medio del
    desierto.
Son su propio rehén: el premio del martirio.
Gentes cuya expiación zumba como un enjambre en el ayuno;
gentes con mirada de exilio bajo los párpados de la primavera.
Cuídate de su orgullo como de una alimaña que avanza por
    debajo de tu casa.
Huye de su perdón deshabitado.
Oh, conozco las redenciones sin piedad,
las arpas solitarias,
esas linternas hacia adentro que convierten el mundo en un
    salón velado para el crimen.

Gira con el pregón de reinos y abalorios y caras de hechiceras
pegadas contra el vidrio,
con tu fauna de azogue disuelta en una lágrima,
con tu cielo de tormenta de nieve adentro de un gran globo
sepultado en el jardín perdido.
Gira sin detenerte, demasiado temprano carrusel de inocencia.
Es demasiado tarde.
Para quedarse en ti no bastan las dos alas, ni los ojos cerrados,
ni siquiera dormir con el tiempo encerrado en una caja.
Habría que volver a echar los dados de la primera vuelta.
Habría que borrar la ráfaga que aspira desde el fondo de cada
porvenir.
Habría que cambiar la contraseña y olvidar las tijeras.
Habría que nacer sin esta herida abierta en el costado.

"Nada por aquí, nada por allá,
nada en esta mano, nada en esta otra."
Nada en lá galera del prestidigitador, ni en sus huesos, ni en
el revés de su alma.
Pero en algún lugar cómplice de la oscuridad trota la trampa:
la bestia con cabeza de cuchara para vaciar mejor,
con cara de moneda para engañar mejor,
con mirada de rata para escapar mejor;
la indiferente bestia emboscada entre plumas,
en el centro de un círculo de luz, debajo de la felpa de todas
las palabras.
Un día de repente surge la aparición con color de relámpago,
y las plumas no cesan de caer y las luces se apagan y la
palabra es vana.
Una negra burbuja encierra el mundo desde tu corazón.
En tanto la impostura roe como la muerte tus entrañas.

Estos que se sostienen de la mano de Dios,
de una esperanza abierta en forma de sombrilla sobre la cuerda
floja,
de un milagro que arrulla como un violín debajo de las aguas
en el salto mortal,
cruzan los precipicios de espaldas hacia atrás y hacia mañana,

121

porque de todos los peligros eligieron no ver, no volver a
    mirar.
En vano les repiten que el ojo de la tierra es acechanza,
que desde abajo hay bocas que reclaman con el revés de la
    plegaria,
que el vértigo es de pronto una tinaja azul que se convierte
    en urna,
que la caída es una ley más fuerte que cualquier ascensión.
Ellos caen un día con una levedad de espantajos en vuelo,
con un sonido hueco, como ángeles vacíos.

Se adivina el pasado, el presente, el porvenir con las manos
    atadas.
Se lee el pensamiento en el papel en blanco.
Se bebe un elixir que transforma los sueños en el ojo de las
    cerraduras,
que trasmuta las fiebres en escaleras hacia la más lejana
    lejanía.
Entonces es la hora de recoger las redes.
Llegan voces de mando, destellos de un combate que se libra
    con las puertas cerradas,
y la tiniebla surge con la lluvia que cae en otra parte,
con la luna que arrastra una viva reunión de muertos
    milenarios,
con tu casa invadida por una casa donde ya no estás y los
    huéspedes son tus sombras de mañana.
Si quieres, puedes interrogar el desvarío de tu sangre
    convertida en oráculo,
puedes buscar la lámpara enterrada en el borde de tu alma.
No lograrás hallar en ninguna respuesta la primera palabra;
no encontrarás jamás una luz que ilumine lado a lado las dos
    mitades de tu cara.

Un ojo, dos cabezas, tres brazos, cuatro pies.
He aquí la guarida de los expulsados, al margen de la ley.
Un ojo solo cambia como el rayo cada intención del mundo:
dos cabezas nos bastan para multiplicar por dos las cifras
    del enigma;

tres brazos equivalen a querer abrazar al testigo invisible;
cuatro pies nos delatan la demencia de la separación.
A ellos los arrancaron de raíz, molieron sus semillas entre las
  fauces de la bruma.
Pero también en ti, también en mí,
una desobediencia hacia lo alto, una infracción abajo.
incuban ese monstruo que un día nos devora con la sal del
  destierro:
el habitante solitario de la más desolada soledad.

Ya puedes elegir.
Alguien va a dar la orden de hacer fuego.
Vas a entrar en la cárcel de tu inmolación.

DESDOBLAMIENTO EN MÁSCARA DE TODOS

Lejos,
de corazón en corazón,
más allá de la copa de niebla que me aspira desde el fondo
    del vértigo,
siento el redoble con que me convocan a la tierra de nadie.
(¿Quién se levanta en mí?
¿Quién se alza del sitial de su agonía, de su estera de zarzas,
y camina con la memoria de mi pie?)
Dejo mi cuerpo a solas igual que una armadura de intemperie
    hacia adentro
y depongo mi nombre como un arma que solamente hiere.
(¿Dónde salgo a mi encuentro
con el arrobamiento de la luna contra el cristal de todos
    los albergues?)
Abro con otras manos la entrada del sendero que no sé adónde
    da
y avanzo con la noche de los desconocidos.
(¿Dónde llevaba el día mi señal,
pálida en su aislamiento,
la huella de una insignia que mi pobre victoria arrebataba
    al tiempo?)
Miro desde otros ojos esta pared de brumas
en donde cada uno ha marcado con sangre el jeroglífico
    de su soledad,
y suelta sus amarras y se va en un adiós de velero fantasma
    hacia el naufragio.
(¿No había en otra parte, lejos, en otro tiempo,
una tierra extranjera,
una raza de todos menos uno, que se llamó la raza de los otros,
un lenguaje de ciegos que ascendía en zumbidos y en burbujas
    hasta la sorda noche?)
Desde adentro de todos no hay más que una morada bajo un
    friso de máscaras;
desde adentro de todos hay una sola efigie que fue inscripta
    en el revés del alma;

124

desde adentro de todos cada historia sucede en todas partes:
no hay muerte que no mate,
no hay nacimiento ajeno ni amor deshabitado.
(¿No éramos el rehén de una caída,
una lluvia de piedras desprendida del cielo,
un reguero de insectos tratando de cruzar la hoguera del
    castigo?)
Cualquier hombre es la versión en sombras de un Gran Rey
    herido en su costado.

Despierto en cada sueño con el sueño con que Alguien sueña
    el mundo.
Es víspera de Dios.
Está uniendo en nosotros sus pedazos.

MUSEO SALVAJE
1974

GÉNESIS

No había ningún signo sobre la piel del tiempo.
Nada. Ni ese tapiz de invierno repentino que presagia las
    garras del relámpago quizás hasta mañana.
Tampoco esos incendios desde siempre que anuncian una
    antorcha entre las aguas de todo el porvenir.
Ni siquiera el temblor de la advertencia bajo un soplo de
    abismo que desemboca en nunca o en ayer.
Nada. Ni tierra prometida.
Era sólo un desierto de cal viva tan blanca como negra,
un ávido fantasma nacido de las piedras para roer el sueño
    milenario,
la caída hacia afuera que es el sueño con que sueñan las
    piedras.
Nadie. Sólo un eco de pasos sin nadie que se alejan
y un lecho ensimismado en marcha hacia el final.

Yo estaba allí tendida;
yo, con los ojos abiertos.
Tenía en cada mano una caverna para mirar a Dios,
y un reguero de hormigas iba desde su sombra hasta mi
    corazón y mi cabeza.

Y alguien rompió en lo alto esa tinaja gris donde subían a
    beber los recuerdos;
después rompió el prontuario de ciegos juramentos heridos
    a traición
y destrozó las tablas de la ley inscritas con la sangre coagulada
    de las historias muertas.
Alguien hizo una hoguera y arrojó uno por uno los fragmentos.
El cielo estaba ardiendo en la extinción de todos los infiernos
y en la tierra se borraban sus huellas y sus pruebas.
Yo estaba suspendida en algún tiempo de la expiación
    sagrada;
yo estaba en algún lado muy lúcido de Dios;
yo, con los ojos cerrados.

129

Entonces pronunciaron la palabra.

Hubo un clamor de verde paraíso que asciende desgarrando la
    raíz de la piedra,
y su proa celeste avanzó entre la luz y las tinieblas.
Abrieron las compuertas.
Un oleaje radiante colmó el cuenco de toda la esperanza aún
    deshabitada,
y las aguas tenían hacia arriba ese color de espejo en el que
    nadie se ha mirado jamás,
y hacia abajo un fulgor de gruta tormentosa que mira desde
    siempre por primera vez.
Descorrieron de pronto las mareas.
Detrás surgió una tierra para inscribir en fuego cada pisada
    del destino,
para envolver en hierba sedienta la caída y el reverso de cada
    nacimiento,
para encerrar de nuevo en cada corazón la almendra del
    misterio.
Levantaron los sellos.
La jaula del gran día abrió sus puertas al delirio del sol
con tal que todo nuevo cautiverio del tiempo fuera
    deslumbramiento en la mirada,
con tal que toda noche cayera con el velo de la revelación a
    los pies de la luna.
Sembraron en las aguas y en los vientos.
Y desde ese momento hubo una sola sombra sumergida en mil
    sombras,
un solo resplandor innominado en esa luz de escamas que
    ilumina hasta el fin la rampa de los sueños.
Y desde ese momento hubo un borde de plumas encendidas
    desde la más remota lejanía,
unas alas que vienen y se van en un vuelo de adiós a todos los
    adioses.
Infundieron un soplo en las entrañas de toda la extensión.
Fue un roce contra el último fondo de la sangre;
fue un estremecimiento de estambres en el vértigo del aire;
y el alma descendió al barro luminoso para colmar la forma
    semejante a su imagen,

y la carne se alzó como una cifra exacta,
como la diferencia prometida entre el principio y el final.

Entonces se cumplieron la tarde y la mañana
en el último día de los siglos.

Yo estaba frente a ti;
yo, con los ojos abiertos debajo de tus ojos
en el alba primera del olvido.

LAMENTO DE JONÁS

Este cuerpo tan denso con que clausuro todas las salidas,
este saco de sombras cosido a mis dos alas
no me impide pasar hasta el fondo de mí:
una noche cerrada donde vienen a dar todos los espejismos
    de la noche,
unas aguas absortas donde moja sus pies la esfinge de otro
    mundo.

Aquí suelo encontrar vestigios de otra edad,
fragmentos de panteones no disueltos por la sal de mi sangre,
oráculos y faunas aspirados por las cenizas de mi porvenir.
A veces aparecen continentes en vuelo, plumas de otros
    ropajes sumergidos;
a veces permanecen casi como el anuncio de la resurrección.

Pero es mejor no estar.
Porque hay trampas aquí.
Alguien juega a no estar cuando yo estoy
o me observa conmigo desde las madrigueras de cada soledad.
Alguien simula un foso entre el sueño y la piel para que
    me deslice hasta el último abismo de los otros
o me induce a escarbar debajo de mi sombra.

Es difícil salir.
Me tapian con un muro que solamente corre hacia nunca
    jamás;
me eligen para morir la duración;
me anudan a las venas de un organismo ciego que me exhala
    y me aspira sin cesar.

Y el corazón, en tanto,
¿en dónde el corazón,
el tambor de nostalgias que convoca en tinieblas a todos los
    relevos?
Por no hablar de este cuerpo,

de este guardián opaco que me transporta y me retiene
y me arroja consigo en una náusea desde los pies a la cabeza.

Soy mi propio rehén,
el pausado veneno del verdugo,
el pacto con la muerte.

¿Y quién ha dicho acaso que éste fuera un lugar para mí?

MIS BESTIAS

Me habitan, como organismos de otra especie, atrapadas en este
impalpable paraíso de mi leyenda negra.

Respiran y palpitan, ¡sofocante asamblea!, con la codicia
y la voracidad de las flores carnívoras y esa profunda calma
de los monstruos marinos al acecho de algunos continentes tal
vez a la deriva, de unas hierbas tenaces que arrastren la
creación.

No las puedo pensar con estos ojos sin transformarme en
bestiario invisible, sin trocarme por ellas y abdicar.

Sin embargo persisten, evidentes, como la idea fija engarzada en tinieblas, que hace retroceder todas las lámparas y se
bebe la luz.

Y así mis bestias brillan, ¿para quién?, ¿para qué?, mientras absorben lentas sus brebajes, solemnes, taciturnas, tene-
brosas, con ropones de obispo, de verdugo, de murciélago azul
o de peñasco que de pronto se convierte en molusco o en un
tenso tambor.

Inflan sus fuelles, despliegan sus membranas, abren sus
fauces locas en bostezos y en carcajadas escarlatas entre los
tapizados que cierran en carne viva el extraño salón.

Me aterran estos antros contráctiles, estas gárgolas en mi-
gratoria comunión, estos feroces ídolos arrancados con vida
de la hoguera y encarnizados siempre en el trance final.

Deliberan, conspiran, se traicionan estas vísceras mías,
igual que conjurados que intercambian consignas, poderes
y malicias. ¿Y no simulan fábricas, factorías del cielo, y hasta
grandes colmenas que elaboran narcóticos, venenos y elixires
violentos, como miel?

Lo que tengan que hacer que lo demoren. Porque hay una
que adelanta la hora y decreta la entrega y funda su reinado
en la consumación. Hay una cuya máscara es ópalo, o esponja
o tegumento y que tiene debajo la señal. ¡Y convive conmigo
y come de mi plato!

¡Qué tribunal tan negro en la trastienda de toda mi niñez amedrentada por la caída de una pluma en el mero atardecer!

¿Y es esto una gran parte de lo que yo llamaba mi naturaleza interior?

LUGAR DE RESIDENCIA

Universo minúsculo,
desplegable al tamaño de tu dios.
Te pareces a un puño de cazador que exprime hasta la sombra
    de su presa,
o quizás a la bolsa del avaro repleta de monedas sin comunión
    y sin destino.
Ni crueldad, ni riquezas.
Es a ti a quien apuntan y no tienes más oro que la borra de
    alguna alucinada primavera.
Entonces tal vez seas, lo mismo que en los cuentos,
el corazón de alguien que está lejos y debo custodiar como el
    dragón,
lo mismo que en los cuentos,
para que nada puedan la espada ni el veneno contra las
    orfandades de su dueño.
Sí, sí. Sepultado de un tajo en lo más hondo de la selva
    nocturna,
debajo de unas aguas que se entreabren al soplo del amor
y se cierran de golpe al roce de la piedra,
así estás, como un pájaro en exilio, en la jaula del pecho.
¿Y el corazón de quién?,
grito hacia el tiempo todo, vuelto columna helada hasta las
    nubes.
¿De quién sino de todas las remotas criaturas que prolongan
    tu credo, sin saber;
que exhiben una máscara, un número, una especie, lo mismo
    que un estigma de la separación?
¡Esa sangre dispersa e infranqueable, multiplicada en tantas
    divisiones!
¡Esos muros errantes, con sus puertas tapiadas y su consigna
    de olvidar!
¡Ese dialecto inútil para todo posible paraíso!
Y tú aquí, corazón, cerrado laberinto,
con tu monstruo interior como un rehén perdido,

136

arrojando tus hilos en una red que choca contra la misma
costa,
recogiendo tan sólo tus pequeños guijarros —tu soledad
insoluble—,
encendiendo fogatas invisibles a modo de señal detrás de estas
murallas,
tu Jericó al revés, sin paz y sin reclamo.
¿Y el corazón de quién?,
pregunto en esta noche que pasa con sus velas fantasmas sobre
el mundo.
¿De quién sino de quienes escarbaron en ti, con uñas y con
plumas,
un lugar a su imagen y a su tan pasajera semejanza;
de quienes erigieron sus torres de cal viva junto al abismo y
sobre la corriente
para oficiar la luz y las tinieblas?
¡Fundaciones insomnes, que vagan todavía con sus ojos de
fiebre por todos los rincones!
¡Ceremonias sonámbulas en las que aún se exhuman reliquias
y cuchillos sepultados en las arcas de todas las alianzas!
¡Tatuajes e inscripciones como esas llagas pálidas que deja
el desarraigo!
Y tú aquí, corazón, residencia hechizada,
con tu guardián demente y sin relevo,
convocando con tu oscuro tambor las procesiones de vivos y
de muertos,
vistiendo a los desnudos con corona de rey,
transformando tu confuso inventario en un oleaje donde
naufraga la cabeza,
distribuyendo un filtro que absorbe la distancia y acrecienta
la sed de todo lo imposible
hasta perder la piel y acampar en el alma.
¡Y estos cielos que crecen y se alejan en rojo o en azul,
en terror o en delirio,
debajo de tu estruendo, debajo de tu rayo!
Sí, tú, corazón, talismán de catástrofes,
posado en este yo como el vampiro de todo el porvenir,
siempre a punto de abrir y de cerrar y arrojarme hacia afuera
en cada tumbo,
en cada contracción con que me aferras y me precipitas
entre salto y caída.

137

EL CONTINENTE SUMERGIDO

Cabeza impar,
sólo a medias visible desde donde se mire
y a medias rescatada de un exilio sin fin en la cabeza de la
   bruma.
Es opaca por fuera,
impermeable al bautismo de la luz,
porosa como esponja a las destilaciones de la noche insoluble.
Pero por dentro brilla;
arde en un remolino de cristales errantes,
de chispas desprendidas de la fragua del sueño,
de vértigos azules que atestiguan que es la tumba del cielo.
Se supone que alguna vez fue parte desprendida de Dios,
en forma de tiniebla,
y que rodó hacia abajo, cercenada sin duda por la condenación
   de la serpiente.
Se ignoran los milenios y las metamorfosis,
las napas de estupor que debió atravesar hasta llegar aquí,
girando como sombra de topo entre raíces,
avanzando después como un planeta ciego
que se condensa en humo, en vapor, en eclipse.
Fue aspirada hacia arriba,
erigida en lo alto de un tronco a la deriva que apenas la
   ⌐⌐tiene
con dos cavernas sordas para escuchar la voz que rompe
   contra el muro,
con dos estrías vanas para ver desde un claustro la caída,
con un olor de bestia acorralada debajo de la piel,
con un sabor de pan sepultado entre ayunos,
y esta lengua insaciable
que devora el idioma de la muerte en grandes llamaradas.
Cabeza borrascosa,
cabeza indescifrable,
cabeza ensimismada:

138

se asemeja a un infierno circular
donde el perseguidor se convierte de pronto en perseguido,
siempre detrás de sí, o delante de mí,
que no sé desde dónde surjo a veces, aferrada a este cuello,
sin encontrar los nudos que me atan a esta extraña cabeza.

ESFINGES SUELEN SER

Una mano, dos manos. Nada más.
Todavía me duelen las manos que me faltan,
esas que se quedaron adheridas a la barca fantasma que me
    trajo
y sacuden la costa con golpes de tambor,
con puñados de arena contra el agua de migraciones y
    nostalgias.
Son manos transparentes que deslizan el mundo debajo de
    mis pies,
que vienen y se van.
Pero estas que prolongan mi espesa anatomía
más allá de cualquier posible hoguera,
un poco más acá de cualquier imposible paraíso,
no son manos que sirvan para entreabrir las sombras,
para quitar los velos y volver a cerrar.
Yo no entiendo estas manos.
Sí, demasiado próximas,
demasiado distantes,
ajenas como mi propio vuelo acorralado adentro de otra piel,
como el insomnio de alguien que huye inalcanzable por mis
    dedos.
A veces las encuentro casi a punto de ocultarme de mí
o de apostar el resto en favor de otro cuerpo,
de otro falso plumaje que conspira con la noche y el sol.
Me inquietan estas manos que juegan al misterio y al azar.
Cambian mis alimentos por regueros de hormigas,
buscan una sortija en el desierto,
transforman la inocencia en un cuchillo,
perseveran absortas como valvas en la malicia y el error.
Cuando las miro pliegan y despliegan abanicos furtivos,
una visión errante que se pierde entre plumas, entre alas
    de saqueo,
mientras ellas se siguen, se persiguen,
crecen hasta cubrir la inmensidad o reducen a polvo el cuenco
    de mis días.

140

Son como dos esfinges que tejen mi condena con la mitad del
　　crimen,
con la mitad de la misericordia.
¡Y esa expresión de peces atrapados,
de pájaros ansiosos,
de impasibles harpías con que asisten a su propio ritual!
Esta es la ceremonia del contagio y la peste hasta la idolatría.
Una caricia basta para multiplicar esas semillas negras que
　　propagan la lepra,
esas fosforescencias que propagan la seda y el ardor,
esos hilos errantes que propagan el naufragio y la sed.
¡Y esa brasa incesante que deslizan de la una a la otra
como un secreto al rojo,
como una llama que quema demasiado!
Me pregunto, me digo
qué trampa están urdiendo desde mi porvenir estas dos manos.
Y sin embargo son las mismas manos.
Nada más que dos manos extrañamente iguales a dos manos
　　en su oficio de manos,
desde el principio hasta el final.

PARENTESCO ANIMAL CON LO IMAGINARIO

Brotando acusadora, como ciertos oleajes emplumados sobre la superficie de un estanque asesino o esa loca maleza que enfunda de la noche a la mañana algún recinto destinado a ser estatua y tumba del secreto cautivo, mi cabellera es la evidencia escalofriante de lo que oculto en mí. Lo denuncia, lo exalta, lo pregona. Pero ¿qué oculto en mí, como no sea mi maraña de sombras y esa legión orgánica y sin rostro que oficia en mis entrañas? ¡Contra ellas la tibia, la densa, la inocente o perversa y filiforme delación!

O tal vez sea apenas, simplemente, un fulgor semejante, una metamorfosis del hechizo interior, si no el manto piadoso de la estirpe animal sobre la exigua tentativa humana. O tal vez nada más que el último recurso de la fuga o esas prolongaciones insensatas que emite la nostalgia.

¿Y a expensas de qué vive esta especie de ráfaga atrapada, esta indolente enviada de otro mundo arraigado en el hambre, parásita de fiebres, vampira en la profunda garganta de los sueños? Sé que extrae de mí un alimento tan letal como el vaho que exhalan los sofocantes folletines. Se empapa en una niebla malsana, alucinógena. No en vano esa apariencia de alma errante, de espeso cortinaje dispuesto para el crimen, de lujoso sudario hecho para cubrir o revelar las heridas que dejan los amores fatales en cuerpos de mujer trocados en violentos catafalcos o en proas de navíos sobre lechos de sangre.

A veces, siempre a solas, un crujido entre briznas soterradas, una absorción repentina hasta la médula, me anuncian que pretende arrancarme de mí, desenraizarme, como a un tubérculo antropomorfo, para implantarme en la negrura de la fábula igual que a una mandrágora. No cedo, no; me aferro a mis modestas pertenencias. Pero una bocanada casi eléctrica que me impulsa hacia arriba me indica que está a punto de suspenderme de lo alto y cubrirme de filamentos encendidos a manera de lámpara.

¡Ah, las maquinaciones que paralizan las ruedas de la noche! ¡Cuando la oigo respirar a leves sacudidas y deslizarse astuta y sigilosa, destejiendo mi trama, devanando sin duda la urdimbre que me fija a duras penas en este pozo abierto en lo ilusorio!, ¡cuando siento que se escurre feroz, palpando los objetos y los muebles con oscuras llamaradas dementes, y tapiza sin tregua, como una devoradora enfermedad, el piso y las paredes, y se enrosca y palpita en esta habitación lo mismo que una insaciable y esponjosa bestia exigiendo la dádiva de todo el universo!, ¡qué visión admirable!, ¡qué fiesta en los telares del Apocalipsis! ¡Espléndido proyecto el de invadirlo todo o acosarnos cambiando de lugar, como el bosque de Birnam! La misma ambigüedad de una obra maestra.

Pero no. Se retrae. Se domestica como un gato. Se convierte en caricia vagabunda en busca de caricias, en reclamo entre insomnios más lentos que las letanías.

A lo sumo un ansioso follaje que susurra el idioma del amor, una lluvia sensual embalsamada por el asombro y el deseo, una provocación al fuego, al erotismo.

¿Y por qué no las hebras que segrega la sustancia de la poesía, el delirio de la muerte?

EN LA RUEDA SOLAR

Cada ojo en el fondo es una cripta donde se exhuma el sol,
donde brilla la luna sobre la piedra roja del altar
erigida entre espejos y entre alucinaciones.
Yo asisto cada día con los ojos abiertos al sacrificio de la
    resurrección,
a la alquimia del oro en aguas estancadas.
Es difícil mirar con la sustancia misma de la luz filtrada por
    la tierra del destierro;
es imposible ver quién se levanta y anda entre malezas
desde estos dos fragmentos arrancados a la cantera de la
    eternidad.
Uno al lado del otro en su prisión de nácar,
en su evasión de nubes y de lágrimas;
uno ajeno del otro,
sometidos a ciegas a la ley de la alianza en la separación,
fabulan la distancia, la envoltura de cada desencuentro,
    la isla que no soy.
¿Y acaso no me acechan desde el fondo de todo cuanto miro
igual que a una extranjera?
¿No me dejan a solas con su estuche de nieblas,
lo mismo que a un rehén,
contra la trampa abierta en la espalda del mundo?
¡Extraña esta custodia que permite avanzar al enemigo
    transparente
y retiene hacia adentro este insondable vacío de caverna!
No tiene explicación esta córnea con piel de escalofrío,
con avaricia de ostra que incuba al mismo tiempo su misterio
    y el cuchillo final;
tampoco es razonable este iris que tiembla como una flor al
    borde del abismo,
que destella y se apaga lo mismo que un relámpago de tigres,
que se acerca y se aleja semejante a una selva sumergida en
    un ala de insecto.
¿Y la pupila, entonces?
¿Quién puede descifrar esta pupila cautiva entre cristales,

144

este túnel contráctil siempre alerta a la inminencia a solas,
esta palpitación a medias con la muerte?
¡Basta, mirada de fisura, incesante mirada de pólipo en
    tinieblas!
Es otra vez el mismo tembladeral de aguas voraces,
la misma negra rampa circular que me pierde hacia adentro.
Es otra vez el mismo recinto central adonde caigo
arrastrando un telón sobre la lejanía,
entreabriendo la escena donde los personajes son una sola
    máscara de Dios.
Es otra vez el mismo centinela que dice que no estoy,
la misma luz de espada que me empuja hacia afuera hasta
    el revés de mí,
hasta la ciega condena de estos ojos que me impiden mirar
y que sólo atestiguan la división debajo de estos párpados.

145

EL JARDÍN DE LAS DELICIAS

¿Acaso es nada más que una zona de abismos y volcanes en plena ebullición, predestinada a ciegas para las ceremonias de la especie en esta inexplicable travesía hacia abajo? ¿O tal vez un atajo, una emboscada oscura donde el demonio aspira la inocencia y sella a sangre y fuego su condena en la estirpe del alma? ¿O tan sólo quizás una región marcada como un cruce de encuentro y desencuentro entre dos cuerpos sumisos como soles?

No. Ni vivero de la perpetuación, ni fragua del pecado original, ni trampa del instinto, por más que un solo viento exasperado propague a la vez el humo, la combustión y la ceniza. Ni siquiera un lugar, aunque se precipite el firmamento y haya un cielo que huye, innumerable, como todo instantáneo paraíso.

A solas, sólo un número insensato, un pliegue en las membranas de la ausencia, un relámpago sepultado en un jardín.

Pero basta el deseo, el sobresalto del amor, la sirena del viaje, y entonces es más bien un nudo tenso en torno al haz de todos los sentidos y sus múltiples ramas ramificadas hasta el árbol de la primera tentación, hasta el jardín de las delicias y sus secretas ciencias de extravío que se expanden de pronto de la cabeza hasta los pies igual que una sonrisa, lo mismo que una red de ansiosos filamentos arrancados al rayo, la corriente erizada reptando en busca del exterminio o la salida, escurriéndose adentro, arrastrada por esos sortilegios que son como tentáculos de mar y arrebatan con vértigo indecible hasta el fondo del tacto, hasta el centro sin fin que se desfonda cayendo hacia lo alto, mientras pasa y traspasa esa orgánica noche interrogante de crestas y de hocicos y bocinas, con jadeo de bestia fugitiva, con su flanco azuzado por el látigo del horizonte inalcanzable, con sus ojos abiertos al misterio de la doble tiniebla, derribando con cada sacudida la nebulosa maquinaria del planeta, poniendo en suspensión corolas como labios, esferas como frutos palpitantes, burbujas donde late la espuma de otro mundo, constelaciones extraídas vivas de su prado

natal, un éxodo de galaxias semejantes a plumas girando loca-
mente en el gran aluvión, en ese torbellino atronador que ya se
precipita por el embudo de la muerte con todo el universo en
expansión, con todo el universo en contracción para el parto
del cielo, y hace estallar de pronto la redoma y dispersa en la
sangre la creación.

El sexo, sí,
más bien una medida:
la mitad del deseo, que es apenas la mitad del amor.

PLUMAS PARA UNAS ALAS

Un metro sesenta y cuatro de estatura sumergido en la piel
lo mismo que en un saco de obediencia y pavor.
Cautiva en esta piel,
cosida por un hilo sin nudo a esta ignorancia,
aferrada centímetro a centímetro a esta lisa envoltura que me
    protege a medias y por entero me delata,
siento la desnudez del animal,
el desabrido asombro del santo en el martirio,
la inexpresiva provocación al filo del cuchillo y al látigo del
    fuego.
No me sirve esta piel que apenas me contiene,
esta cáscara errante que me controla y me recuenta,
esta túnica avara cortada en lo invisible a la medida de mi
    muerte visible.
Apenas una pálida estría en la muralla:
la tensa cicatriz sobre la dentellada de la separación.
No puedo tocar fondo.
No consigo hacer pie dentro de esta membrana que me aparta
    de mí,
que me divide en dos y me vuelca al revés bajo las ruedas de
    los carros en llamas,
bajo espumas y labios y combates,
siempre a orillas del mundo, siempre a orillas del vértigo del
    alma.
No alcanza para lobo
y le falta también para cordero.
Y no obstante me escurro entre los dos bajo esta investidura
    del abismo,
invulnerable al golpe de mi sangre y a mi pira de huesos.
¿Quién apuesta su piel por esta piel ilesa e inconstante?
Nada para ganar.
Todo para perder en esta superficie donde sólo se inscriben
    los errores sobre la borra de los años.
Y ese color de enigma que termina en pregunta,

esa urdimbre cerrada donde cruzan sus hilos la permanencia
y la mudanza,
esa simulación de mansedumbre alrededor de un cuerpo
irremediable,
ese aspecto de falso testimonio con que encubre, bajo la misma
lona, el fantasma de ayer y el de mañana,
ese tacto como una chispa al sol, o un puñado de vidrios, o un
huracán de mariposas,
¿a imagen de quién son?
¿A semejanza de qué dios migratorio fui arrancada y envuelta
en esta piel que exhala la nostalgia?
Una mutilación de nubes y de plumas hacia la piel del cielo.

EN EL BOSQUE SONORO

Cada día me despierta este doble cuerno de cazador que parece atravesar mi cabeza lado a lado. Aspira el bosque entero. Lo convoca hacia adentro como un viento donde flotan inasibles combates y roces y resistencias y caídas. Lo ausculta como a un cuerpo contagioso que denunciara la enfermedad con tales estertores.

Pero no somos mutuos las legiones y yo. Mi presente es pasivo y no se ramifica. Acata sin defensas la conmovida inmensidad, el estado de sitio, la alarma que establece su feroz batería sobre rieles frenéticos y los lanza, sin más, a lo desconocido.

Es un tropel de intrusos que irrumpen en mis cámaras secretas. Violan los sellos, derriban los tabiques, estampan la protesta en las paredes de este negro anfiteatro donde hace sus disecciones el silencio.

¡Equívoca invasión! Unas veces propaga el terciopelo como una nervadura de tormenta que me fulmina hasta los huesos o una antena de insecto que vibra entre los filamentos de la luz y me ensordece. Y otras, como si nada, sofoca con tapices y sandalias de nieve la explosión y la gangrena.

Y por mi lado siempre esta forzosa, forzada intimidad con un secreto a voces que emana desde el fondo de cada intimidad; esta avasalladora convivencia de oreja contra el mundo; esta equívoca participación en la cárcel ajena.

No hay rigor ni medida, ni siquiera para escuchar el propio corazón, los propios dientes.

Aquí la resonancia que exagera con su coro demente el golpe en el vacío, o el alfabeto casi restaurado que se escurre de pronto en polvo demasiado fino o estalla en grandes bloques de vociferaciones. Boquetes y obstrucción.

Y debajo estas bocas que se abren en el muro, contra toda esperanza, y que musitan siempre la palabra. Palabra inaudible, palabra empecinada, palabra terrible —mi mantra del ascenso y del retorno—, palabra como un ángel suspendido entre la aniquilación y la caída, como la trompeta del juicio que se rompe contra el fragor, contra el acantilado, bajo la irremediable rompiente que me aturde y me envuelve y me tritura desde los alaridos de mi sangre y me impide escuchar.

EL SELLO PERSONAL

Estos son mis dos pies, mi error de nacimiento,
mi condena visible a volver a caer una vez más bajo las
    implacables ruedas del zodíaco,
si no logran volar.
No son bases del templo ni piedras del hogar.
Apenas si dos pies, anfibios, enigmáticos,
remotos como dos serafines mutilados por la desgarradura del
    camino.
Son mis pies para el paso,
paso a paso sobre todos los muertos,
remontando la muerte con punta y con talón,
cautivos en la jaula de esta noche que debo atravesar y corre
    junto a mí.
Pies sobre brasas, pies sobre cuchillos,
marcados por el hierro de los diez mandamientos:
dos mártires anónimos tenaces en partir,
dispuestos a golpear en las cerradas puertas del planeta
y a dejar su señal de polvo y obediencia como una huella
    más,
apenas descifrable entre los remolinos que barren el umbral.
Pies dueños de la tierra,
pies de horizonte que huye,
pulidos como joyas al aliento del sol y al roce del guijarro:
dos pródigos radiantes royendo mi porvenir en los huesos del
    presente,
dispersando al pasar los rastros de ese reino prometido
que cambia de lugar y se escurre debajo de la hierba a medida
    que avanzo.
¡Qué instrumentos inaptos para salir y para entrar!
Y ninguna evidencia, ningún sello de predestinación bajo
    mis pies,
después de tantos viajes a la misma frontera.
Nada más que este abismo entre los dos,
esta ausencia inminente que me arrebata siempre hacia
    adelante,

y este soplo de encuentro y desencuentro sobre cada pisada.
¡Condición prodigiosa y miserable!
He caído en la trampa de estos pies
como un rehén del cielo o del infierno que se interroga en vano
    por su especie,
que no entiende sus huesos ni su piel,
ni esta perseverancia de coleóptero solo,
ni este tam-tam con que se le convoca a un eterno retorno.
¿Y adónde va este ser inmenso, legendario, increíble,
que despliega su vivo laberinto como una pesadilla,
aquí, todavía de pie,
sobre dos fugitivos delirios de la espuma, debajo del diluvio?

ANIMAL QUE RESPIRA

Aspirar y exhalar. Tal es la estratagema en esta mutua transfusión con todo el universo. Día y noche, como dos organismos esponjosos fijados a la pared de lo visible por este doble soplo de vaivén que sostiene en el aire las cosmogonías, nos expandemos y nos contraemos, sin sentido aparente, el universo y yo. Lo absorbo hacia mi lado en el azul, lo exhalo en un depósito de brumas y lo vuelvo a aspirar. Me incorpora a su vez a la asamblea general, me expulsa luego a la intemperie ajena que es la mía, al filo del umbral, y me inhala de nuevo. Sobrevivimos juntos a la misma distancia, cuerpo a cuerpo, uno en favor del otro, uno a expensas del otro —algo más que testigos—, igual que en el asedio, igual que en ciertas plantas, igual que en el secreto, como en Adán y Dios.

¿Quién pretende vencer? Bastaría un error para trocar las suertes por el planeo de una pluma en la vacía inmensidad. Mi orgullo está tan sólo en la evidencia del apego feroz, en mi costado impar —tan ínfimo y sin duda necesario— que crece en la medida de su pequeñez.

Cumplo con mi papel. Conservo mi modesto lugar a manera de pólipo cautivo. Me empino a duras penas en alguna saliente para hallar un nivel de intercambio al ras del bajo vuelo, un punto donde ceda dignamente mi propia construcción.

Más corta que mis ojos, más veloz que mis manos, más remota que el gesto de otra cara esta errónea nariz que me arranca de pronto de la lisa paciencia de la piel y me estampa en el mundo de los otros, siempre desconocida y extranjera.

Y sin embargo me precede. Me encubre con aparente solidez, con intención de roca, y me expone a los vientos invasores a través de unas fosas precarias, vulnerables, apenas defendidas por la sospecha o el temblor.

Y así, sin más, olfateando costumbres y peligros, pegada como un perro a los talones del futuro, almaceno fantasmas como nubes, halos en vez de bienes, borras que se combinan en nostálgicos puertos, en ciudades flotantes que amenazan volver, en jardines que huelen a la loca memoria del paraíso prometido.

¡Ah, perfumes letárgicos, emanaciones de lluvias y de cuerpos, vahos que se deslizan como un lazo de asfixia en torno a la garganta de mi porvenir!

Una alquimia volátil se hacina poco a poco en los resquicios, evapora las duras condensaciones de los años, y me excava y me sofoca y me respira en grandes transparencias que son la forma exangüe de mi última armazón.

Y aunque aún continúe la mutua transfusión con todo el universo, sé que "allí, en ese sitio, en el oscuro musgo soy mortal, y en mis sueños husmea interminablemente un hocico de bestia", un hocico implacable que me extrae el aliento hasta el olor final.

Se diría que reino sobre estos territorios,
se diría que a veces los recorro desde la falsa costa hasta la
    zona del gran fuego central
como a tierra de nadie,
como a región baldía sometida a mi arbitrio por la ley del
    saqueo y el sol de la costumbre.
Se diría que son las heredades para mi epifanía.
Se diría que oponen sus murallas en marcha contra los
    invasores,
que abren sus acueductos para multiplicar mi nombre y mi
    lugar,
que organizan las grandes plantaciones como colonias del
    Edén perdido,
que erigen uno a uno estos vivos menhires para oficiar mi
    salvación.
¡Sagrada ceremonia la que urdimos en tierra mis tejidos y yo!
Y sin embargo acechan como tembladerales palpitantes
esta noche de pájaro en clausura donde caigo sin fin,
remolino hacia adentro,
girando con el cielo cerrado que me habita y no logro
    alcanzar.
Y de pronto, sin más, sin ir más lejos,
soy como una fisura en esta incomprensible geología,
como burbuja a ciegas por estos laberintos que no sé adónde
    dan.
Me arrastran a mansalva de una punta a la otra
estas negras gargantas que me devoran sin cesar.
Me sofocan con fibras de humedad,
me trituran entre fauces de hueso como a una mariposa,
me destilan en sordas tuberías y en ávidas esponjas que
    respiran como los lentos monstruos de la profundidad,
me empapan en sentinas,
me ligan con tendones y con nervios hasta la desunión,
me ponen a secar en la negrura de este sol interior,

me abandonan como resaca muerta a la furia de todas las
 corrientes
hasta la gran caída y el vértigo final,
siempre inminente,
siempre a punto de trizarme de golpe contra el acantilado
 de la insufrible luz.
¡Qué lugar para crecer y para amar!
¡Tantos derrumbes, tantas fundaciones, tantas metamorfosis
 insensatas!
¡Tantas embalsamadas batallas que se animan en un foso
 del alma!
¿Tanta carnicería de leyenda levantada en mi honor?

MI FÓSIL

Guárdame, duro armazón tallado por la muerte en el polvo
de Adán.
Pliégame a la obediencia,
incrústame otra vez en lo visible con esas nervaduras de terror
que delatan mi número incompleto, mi especie miserable.
Apenas me retienes por un lazo de sombra debajo de los pies,
apenas por un jirón de luz helada entre los dientes,
y no obstante persevero contigo en el desierto contra la voz
que clama,
me aferro como a un mástil contra el ciclón de plumas que me
aspira,
me adhiero como un náufrago al tablón que corre hacia el
abismo.
Porque eres aún la encrucijada,
las gradas hasta el fin y la escalera rota,
ese extraño lugar donde se alían la maldición y el exorcismo.
Te han arrojado aquí
para que me enseñaras con tu duro evangelio la salida.
Te han encerrado a oscuras
para que me acecharas con mi propio fantasma sin remedio.
Te han jugado a perderme.
Te han prometido el sol de mi destierro,
mi feroz horizonte replegado debajo de la hierba,
la sábana de espumas en alguna intemperie en que no estoy.
Y tú en paz con tus huesos,
como momia de perro en el museo donde empieza mi infierno.
Sí, tú, mi Acrópolis de sal,
mi pregunta de nube sepultada,
mi respuesta de cera,
mi patíbulo errante lavado por las olas de una misma sentencia.

DURO BRILLO, MI BOCA

Como una grieta falaz en la apariencia de la roca, como un sello traidor fraguado por la malicia de la carne, esta boca que se abre inexplicable en pleno rostro es un destello apenas de mi abismo interior, una pálida muestra de sucesivas fauces al acecho de un trozo de incorporable eternidad. Casi no se diría con los labios cerrados. Más bien sólo un error, un soplo de otra especie en la obra incompleta. Y de pronto un desliz, un relámpago acaso, un salto de animal que descorre los bordes del paisaje sobre la sumergida inmensidad, y se enciende el peligro y estalla la amenaza. Un lugar de barbarie bajo el fulgor lunar.

Dientes como blancura tenebrosa, verdugos alineados en feroces fronteras al filo de la luz, amuletos de viva hechicería erigidos en piedras para la inmolación; y en su sitial el monstruo palpitante, el ídolo cautivo, la leviatán de felpa, esta oficiante anfibia debatiéndose a ciegas desde su raigambre hasta las nervaduras de su propio sabor, de mi dulzona insipidez.

¿Quién hablaba de bocas celestiales para la eucaristía, para el trasvasamiento con los ángeles?

Me adhiero por mi boca a las posibles venas del planeta, extraigo la sustancia de mi día y mi noche en las arterias de la perduración, y sólo paladeo brebajes y alimentos adulterados por el latido contagioso de la muerte.

¡Ah, me repugna esta voracidad vampira de inocencias, esta sobrevivencia siempre colmada y siempre insatisfecha bajo la mordedura de los tiempos!

¡Y esta risa, con retazos de huesos que iluminan la exhumación a medias de mi cara final! ¡Tanto exceso en la fatua, innoble alegoría!

¡Y tanta ambivalencia en esta boca, bajo el signo de la carencia y la embriaguez, bajo los dobles nudos ceñidos por el amor y el aislamiento!

¿Aquí no empieza acaso ese maelstrom ardiente que arrebata los cuerpos y trueca los alientos y aspira el corazón de cada uno hasta el fondo del otro corazón, y que a veces devuelve sólo un grano de sal, un jirón de intemperie en medio del invierno?

Y un poco más acá de lo visible, debajo de esta lengua que celebra el silencio y escarba en la prohibida oscuridad, ¿no comienzan también las canteras del verbo, las roncas fundiciones de la poesía, el acceso a las altas transparencias que hacen palidecer la pregunta y la respuesta?

Duro brillo, este oráculo mudo.

CORRE SOBRE LOS MUELLES

Hace ya muchos años que corres dando tumbos por estos
   laberintos
y aún ahora no logro comprender si buscas a borbotones la
   salida
o si acudes como un manso ganado a ese último recinto donde
   se fragua el crimen con las puertas abiertas.
Sólo sé que me llevas a cuestas por este mapa al rojo que
   anticipa el destino
y que acato las tablas de tu implacable ley
bajo el hacha de un solo mandamiento.
Hemos firmado un pacto de guardianas en esta extraña
   cárcel que remonta en la noche la corriente,
más alertas que un faro,
y no importa que a veces me arrebaten las sombras de otros
   vuelos
o que te precipites con un grito de triunfo en el cadalso.
Porque al final de cada deserción estamos juntas,
con una llaga más, con un vacío menos,
y pagamos a medias el precio del rescate para seguir
   hirviendo en la misma caldera.
Pero ¿quién rige a quién en esta enajenada travesía casi a ras
   del planeta?
¿Quién soy, ajena a ti, en este visionario depósito de templos
   sobre lunas y jardines errantes sobre arenas?
¿Dónde está mi lugar entre estas pertenencias por las que
   me deslizo como la nervadura de un escalofrío?
En cada encrucijada donde escarbo mi nombre compruebo
   que no estoy.
¡Sangre insensata, sangre peligrosa, mi sangre de sonámbula
   a punto de caer!
No juegues a perderme en estas destilerías palpitantes;
no me filtres ahora con tu alquimia de animal iniciado en
   todos los arcanos
ni me arrojes desnuda e ignorante contra el indescifrable
   grimorio de los cielos,

porque tú y yo no somos dos mitades de una inútil batalla,
ni siquiera dos caras acuñadas por la misma derrota,
sino tal vez apenas una pequeña parte de algún huésped sin
    número y sin rostro que aguarda en el umbral.
¡Vamos, entonces, sangre ilimitada, sangre de abrazo, sangre
    de colmena!
Envuélveme otra vez en esa miel caliente con que pegas los
    trozos de este mundo para erigir la torre:
tu Babel de un vocablo hasta el final.
Has fundado tu reino en la tormenta,
bajo el ala inasible de una desesperada y única primavera.
Has acarreado herencias, combates y naufragios insolubles
    como el cristal azul de la memoria en la sal de las
    lágrimas..
Has apilado bosques, insomnios y fantasmas embalsamados
    vivos
en estas galerías delirantes que solamente se abren para
    volver a entrar.
Has hurgado en la lumbre de la fiebre y el ocio para extraer
    esa tinaja de oro que irremediablemente se convierte
    en carbón.
Has encerrado el mar en un sollozo y has guardado los ojos
    del abismo vistos desde lo alto del amor.
Vestida estás de reina, de bruja y de mendiga.
Y aún sigues transitando por esta red de venas y de arterias,
bajo los dos relámpagos que iluminan tu noche con el signo
    de la purificación,
mientras arrastras fardos y canciones lo mismo que la loca
    de los muelles
o igual que una inmigrante que se lleva en pedazos su país,
para depositar toda tu carga de pruebas y de errores a los
    pies del gran mártir o el pequeño verdugo:
ese juez prodigioso que bajó al sexto día,
que está sentado aquí, a la siniestra, en su sitial de zarzas,
y que será juzgado por vivos y por muertos.

CANTOS A BERENICE
1977

Si la casualidad es la más empeñosa jugada del destino,
alguna vez podremos interrogar con causa a esas escoltas de
    genealogías
que tendieron un puente desde tu desamparo hasta mi exilio
y cerraron de golpe las bocas del azar.
Cambiaremos panteras de diamante por abuelas de trébol,
dioses egipcios por profetas ciegos,
garra tenaz por mano sin descuido,
hasta encontrar las puntas secretas del ovillo que devanamos
    juntas
y fue nuestro pequeño sol de cada día.
Con errores o trampas,
por esta vez hemos ganado la partida.

No estabas en mi umbral
ni yo salí a buscarte para colmar los huecos que fragua
	la nostalgia
y que presagian niños o animales hechos con la sustancia
	de la frustración.
Viniste paso a paso por los aires,
pequeña equilibrista en el tablón flotante sobre un foso de
	lobos
enmascarado por los andrajos radiantes de febrero.
Venías condensándote desde la encandilada transparencia,
probándote otros cuerpos como fantasmas al revés,
como anticipaciones de tu eléctrica envoltura
—el erizo de niebla,
el globo de lustrosos vilanos encendidos,
la piedra imán que absorbe su fatal alimento,
la ráfaga emplumada que gira y se detiene alrededor de un
	ascua,
en torno de un temblor—.
Y ya habías aparecido en este mundo,
intacta en tu negrura inmaculada desde la cara hasta la cola,
más prodigiosa aún que el gato de Cheshire,
con tu porción de vida como una perla roja brillando entre
	los dientes.

III

Quiero pensar que no eras la cría repudiada,
hija de gato errante y de gata cautiva
—la pareja precaria, victoriosa en la ley de un solo
    acoplamiento
y sumisa al decreto de algún Malthus tardío que impera
    en el desván—.
Puedo creer que no eras trofeo ni residuo
arrojado al azar desde lo alto de la roca,
ni yo la tejedora que detiene con redes milagrosas el vuelo
    o la caída.
Algo más que piedad, que providencia y desatino
erigió nuestra carpa invulnerable entre las carcomidas
    fundaciones.
Algo que comenzamos a saber entre un plato de leche
y huesos, sólo huesos de desapariciones, tan duros de roer.

IV

Que eras la fugitiva de esos tiempos errantes
en los que los demonios se visten con el prestigio de los
    dioses.
y ocultan en criaturas inocentes la ciencia de sus ascuas,
lo denunciaba a veces ese oscuro meteoro,
esa amenaza al rojo que corría veloz desde tu zarpa a tu
    mirada
estirando tu piel como una elástica permanencia en la huida
o quizás un resorte pronto a saltar bajo la tentación del
    exterminio.
Que eras, por otra parte, la emisaria de una zona remota
donde el conocimiento pacta con el silencio
y atraviesa los siglos arrastrando como boa de plumas la
    nostalgia,
lo atestiguaba ya tu ser secreto,
vuelto en contemplación hacia las nubes de la sabiduría,
suspendido en tus ojos como una lluvia de oro,
más acá del recuerdo, más allá del olvido.
Pero ¿qué fuiste entonces, antes de ser ahora?

V

Tú reinaste en Bubastis
con los pies en la tierra, como el Nilo,
y una constelación por cabellera en tu doble del cielo.
Eras hija del Sol y combatías al malhechor nocturno
—fango, traición o topo, roedores del muro del hogar, del
lecho del amor—,
multiplicándote desde las enjoyadas dinastías de piedra
hasta las cenicientas especies de cocina,
desde el halo del templo, hasta el vapor de las marmitas.
Esfinge solitaria o sibila doméstica,
eras la diosa lar y alojabas un dios, como una pulga insomne,
en cada pliegue, en cada matorral de tu inefable anatomía.
Aprendiste por las orejas de Isis o de Osiris
que tus nombres eran Bastet y Bast y aquel otro que sabes
(¿o es que acaso una gata no ha de tener tres nombres?);
pero cuando las furias mordían tu corazón como un panal
de plagas
te inflabas hasta alcanzar la estirpe de los leones
y entonces te llamabas Sekhet, la vengadora.
Pero también, también los dioses mueren para ser inmortales
y volver a encender, en un día cualquiera, el polvo y los
escombros.
Rodó tu cascabel, su música amordazada por el viento.
Se dispersó tu bolsa en las innumerables bocas de la arena.
Y tu escudo fue un ídolo confuso para la lagartija y el
ciempiés.
Te arroparon los siglos en tu necrópolis baldía
—la ciudad envuelta en vendas que anda en las pesadillas
infantiles—,
y porque cada cuerpo es tan sólo una parte del inmenso
sarcófago de un dios,
eras apenas tú y eras legión sentada en el suspenso,
simplemente sentada,
con tu aspecto de estar siempre sentada vigilando el umbral.

VI

No comiste del loto del olvido
—el homérico privilegio de los dioses—,
porque sabías ya que quien olvida se convierte en objeto
    inanimado
—nada más que en resaca o en resto a la deriva—
al antojo del caprichoso mar de otras memorias.
Y así escarbaste un día en tu depósito de sombras congeladas
y volviste a anudar con tiernos ligamentos huesecitos
    dispersos,
tejidos enamorados del sabor de la lluvia,
vísceras dulces como colmenas sobrenaturales para la abeja
    reina,
dientes que fueron lobos en las estepas de la luna,
garras que fueron tigres en la profunda selva embalsamada.
Y lo envolviste todo en ese saco de carbón constelado
que arrojaste hacia aquí, como hacia un tren en marcha,
y que en algún lugar dejó un agujero por el que te aspiran
y al que debes volver.

VII

Aún conservas intacta, memoriosa,
la marca de un antiguo sacramento bajo tu paladar:
tu sello de elegida, tu plenilunio oscuro,
la negra sal del negro escarabajo con el que bautizaron tu
    linaje sagrado
y que llevas, sin duda, de peregrinación en peregrinación.
¿Para quién la consigna?
¿Qué te dejaste aquí? ¿qué posesiones?
¿O qué error milenario volviste a corregir?
Ahora llegas caminando hacia atrás como aquellos que vieron.
Llegas retrocediendo hacia las puertas que se alejan con
    alas vagabundas.
Tal vez te asuste la invisible mano con que intentan asirte
o te espante este calco vacío de otra mano que creíste
    encontrar.
Vuelcas el plato y permaneces muda como aquellos que
    vuelven,
como aquellos que saben que la vida es ausencia
    amordazada,
y el silencio,
una boca cosida que simula el olvido.

¿Y qué viniste a ser en esta arca impar
donde también "conmigo mi raza se termina"?
Tú, tan semejante a la naturaleza en su inminente salto
replegado en la jungla del instinto.
¿La gata de las mieses,
cautiva entre las ruedas del oscuro solsticio
que muelen hasta el último espíritu del grano?
¿La Perséfona estéril,
arrebatada por la huida del sol a los negros recintos
donde el polvo tapia las puertas y traba los cerrojos?
Si ese fue tu reverso,
¿por qué no te arrojaste de cara a los tejados de la primavera?
No hubo ninguna antorcha de rescate por ti,
ni chispas que propiciaran tu división en la progenie.
Jugaste en una vez, con los dados en blanco,
el principio y el fin de tu aventura.
Ganaste a mala luna el gato mutilado
que se pudrió al caer, noche tras noche, por el desagüe de
    tu sueño,
y te quedaste a solas, sin saber, en el alba del celo
—el enjambre furioso, la vibración que atruena—,
interrogando en vano a un hueso ambiguo,
a una indescifrable cabeza de pescado,
a un hermético claustro de semillas,
por si en ellos estaban el aguijón y la respuesta,
por si acaso sabían.

IX

Pero salta, salta otra vez sobre las amapolas,
salta sobre las hogueras de junio sin quemarte,
como si supieras.
Asómate otra vez a plena luz por tu sombra entreabierta,
aunque sólo sembremos como niebla rastrera,
como invasión de arañas transparentes,
la sospecha de que somos de nuevo la bruja y la emisaria.
No lamerán tu rastro dos perros amarillos,
ni volarás en nubes erizadas a la fiesta de Brocken.
No tuvimos más búho que la vigilia alerta en el fondo del
    sueño
ni más sapo lacayo que la ráfaga fría para ahuyentar los
    duendes.
Nuestra maldita alianza con el diablo
fue el poder del terror contra los roedores inasibles
que excavaban sus trampas debajo de la casa;
nuestra señal satánica,
la misma desmesura en la pupila
para precipitar allí las intenciones de la noche embozada;
nuestro pacto de sangre,
nada más que aquel trueque de enigmas insolubles:
otras nosotras mismas.

X

Sí, tú, mi otra yo misma en la horma hechizada de otra piel
ceñida al memorial del rito y la pereza.
No fetiche, donde crujen con alas de langosta los espíritus
    puestos a secar;
no talismán, como una estrella ajena engarzada en la proa
    de la propia tiniebla;
no amuleto, para aventar los negros semilleros del azar;
no gato en su función de animal gato;
sino tú, el tótem palpitante en la cadena rota de mi clan.
¡Ese vínculo como un intercambio de secretos en plena
    combustión!
¡Ese soplo recíproco infundiendo las señales del mal, las
    señales del bien,
en cada tiempo y a cualquier distancia!
¡Esas suertes ligadas bajo el lacre y los sellos de todos los
    destinos!
¿No guardabas acaso mi alma ensimismada como una tromba
    azul entre tus siete vidas?
¿No custodiaba yo tus siete vidas,
semejantes a un nocturno arco iris en mi espacio interior?
Y este rumor y ese gorgoteo,
este remoto chorro de burbujas soterradas
y ese ronco zumbido de abejorro en suspenso entre los
    laberintos de tu sangre,
¿no serían acaso mi mantra más oculto y tu indecible
    nombre
y la palabra perdida que al rehacerse rehace con plumas
    blancas la creación?

¿En qué alfabeto mítico aprendiste a interpretar los símbolos?
¿Qué fábulas heroicas te enseñaron
a sitiar los aviesos anuncios con el foso de la monotonía
y a clavarles después el puñal del relámpago?
Tu poder era el poder de la distancia
que con un golpe cierra su abanico y expulsa al invasor.
Horas que fueron años alertas como lámparas,
pacientes como estatuas frente a huéspedes que vienen y
    se van.
Tú, inmóvil, sumergida en dorados invernáculos,
en visiones letárgicas bordadas por la conspiración del sol
    y sus oleajes,
acechabas un flanco con repentinas rayas de leopardo,
la música irisada de un abejorro ciego taladrando de pronto
    todo el cosmos,
para hacer estallar bajo un solo zarpazo sus amenazadoras
    maquinarias.
Así pudiste un día replegar el espacio
y descubrir en el fondo de mi corazón alguna sombra intrusa
    entre otras sombras,
o adivinar qué oculta telaraña tejían, destejiendo, mis tejidos,
o qué vetas aciagas fraguaban bajo mi piel un mármol
    implacable
y escarbaste, escarbaste con felpas y pezuñas hasta arrancar
    el mal
como una perla negra que se disuelve en polvo,
en nada.
Yo te pregunto ahora, entre nosotras,
¿era realmente nada?
¿O atesoraste acaso una por una esas cuentas sombrías
y enhebraste un collar que se hizo nudo en torno a tu
    garganta?

XII

¡Y hay quien dice que un gato no vale ni la mitad de un
    perro muerto!
Yo atestiguo por tu vigilia y tus ensalmos al borde de mi
    lecho,
curandera a mansalva y arma blanca;
por tu silencio que urde nuestro código con tinta
    incandescente,
escriba en las cambiantes temporadas del alma;
por tu lenguaje análogo al del vaticinio y el secreto,
traductora de signos dispersos en el viento;
por tu paciencia frente a puertas que caen como lápidas
    rotas,
intérprete del oráculo imposible;
por tu sabiduría para excavar la noche y descubrir sus presas
    y sus trampas,
oficiante en las hondas catacumbas del sueño;
por tus ojos cerrados abiertos al revés de toda trama,
vidente ensimismada en el vuelo interior;
por tus orejas como abismos hechizados bajo los sortilegios
    de la música,
prisionera en las redes de luciérnagas que entretejen los
    ángeles;
por tu pelambre dulce y la caricia semejante a la hierba de
    setiembre,
amante de los deslizamientos de la espuma en acecho;
por tu cola que traza las fronteras entre tus posesiones y
    los reinos ajenos,
princesa en su castillo a la deriva en el mar del momento;
por tu olfato de leguas para medir los pasos de mi ausencia,
triunfadora sobre los espejismos, el eco y la tiniebla;
por tu manera de acercarte en dos pies para no avergonzar
    mi extraña condición,
compañera de tantas mutaciones en esta centelleante rotación
    de quince años.

No atestiguo por ti en ninguna zoológica subasta
donde serías siempre la extranjera.
Apuesto por tus venas anudadas al enigmático torbellino
de otros astros.

Se descolgó el silencio,
sus atroces membranas desplegadas como las de un
    murciélago anterior al diluvio,
su canto como el cuervo de la negación.
Tu boca ya no acierta su alimento.
Se te desencajaron las mandíbulas
igual que las mitades de una cápsula inepta para encerrar
    la almendra del destino.
Tu lengua es el Sahara retraído en penumbra.
Tus ojos no interrogan las vanas ecuaciones de cosas y de
    rostros.
Dejaron de copiar con lentejuelas amarillas los fugaces
    modelos de este mundo.
Son apenas dos pozos de opalina hasta el fin donde se
    ahoga el tiempo.
Tu cuerpo es una rígida armadura sin nadie,
sin más peso que la luz que lo borra y lo amortaja en
    lágrimas.
Tus uñas desasidas de la inasible salvación
recorren desgarradoramente el reverso impensable,
el cordaje de un éxodo infinito en su acorde final.
Tu piel es una mancha de carbón sofocado que atraviesa
    la estera de los días.
Tu muerte fue tan sólo un pequeño rumor de mata que se
    arranca
y después ya no estabas.
Te desertó la tarde;
te arrojó como escoria a la otra orilla,
debajo de una mesa innominada, muda, extrañamente
    impenetrable,
allí, junto a los desamparados desperdicios,
los torpes inventarios de una casa que rueda hacia el
    poniente,
que oscila, que se cae,
que se convierte en nube.

XIV

Jugabas a esconderte entre los utensilios de cocina
como un extraño objeto tormentoso entre indecibles faunas,
o a desaparecer en las complicidades del follaje
con un manto de dríada dormida bajo los velos de la tarde,
o eras sustancia yerta debajo de un papel que se levanta
   y anda.
Henchías los armarios con organismos palpitantes
o poblabas los vestidos vacíos con criaturas decapitadas
   y fantasmas.
Fuiste pájaro y grillo, musgo ciego y topacios errantes.
Ahora sé que tratabas de despistar a tu perseguidora con
   efímeras máscaras.
No era mentira el túnel con orejas de liebre
ni aquella cacería de invisibles mariposas nocturnas.
Sólo que yo no supe echar arena sobre tus pisadas.
Te alcanzó tu enemiga poco a poco
y te envolvió en sus telas como con un disfraz de lluviosos
   andrajos.
Saliste victoriosa en el irreversible juego de no estar.
Sin embargo, aún ahora, cierta respiración desliza un vidrio
   frío por mi espalda.
Y entonces ese insecto radiante que tiembla entre las flores,
la fuga inexplicable de las pequeñas cosas,
un hocico de sombra pegado noche a noche a la ventana,
no sé, podría ser,
¿quién me asegura acaso que no juegas a estar, a que te
   atrapen?

¡Imágenes falaces! ¡Laberintos erróneos los sentidos!
¡Anagramas intransferibles para nombrar la múltiple y exigua
  realidad!
Cada cuerpo encerrado en su Babel sin traducción desde
  su nacimiento.
Tú también en el centro de un horizonte impar, pequeño y
  desmedido.
¿Cómo era tu visión?
¿Era azul el jardín y la noche el bostezo fosforescente de
  una iguana?
¿Tenían una altura de aves migratorias mis zapatos?
¿Los zócalos comunicaban con andenes secretos que llevaban
  al mar?
¿La música que oías era una aureola blanca
semejante a un incendio en el edén de los niños perdidos
  en el bosque?
¿O era un susurro de galaxias perfumadas en la boca del
  viento?
¿Bebían de tu respiración la esponja palpitante y el
  insaciable pan?
¿Había en cada mueble un rehén sideral cuyos huesos crujían
  por volver a vivir?
¿Cada objeto era un ídolo increíble que reclamaba su óbolo,
su cucharada de aceite luminoso desde el amanecer?
¿Olfateabas la luna en la cebolla y la tormenta en el espejo?
¿Crecían entre tú y yo inmensos universos transparentes?
¿El mundo era una fiesta de polillas ebrias adentro de una
  nuez?
¿O era una esfera oscura que encerraba sucesivas esferas
  hasta el fin,
allí, donde estabas soñando con crecientes esferas como
  cielos para tu soledad?

¡Inútil cuestionario!
Las preguntas se inscriben como tu dentellada en el alfabeto
de la selva.

Las respuestas se pierden como tus pasos de algodón en
los panteones del recuerdo.

No invento para ti un miserable paraíso de momias de ratones,
tan ajeno a tus huesos como el fósil del último invierno en
  el desván;
ni absurdas metamorfosis, ni vanos espejeos de leyendas
  doradas.
Sé que preferirías ser tú misma,
esa protagonista de menudos sucesos archivados en dos o
  tres memorias
y en los anales azarosos del viento.
Pero tampoco puedo abandonarte a un mutilado calco de
  este mundo
donde estés esperándome, esperando,
junto a tus indefensas y ya sobrenaturales pertenencias
—un cuenco, un almohadón, una cesta y un plato—,
igual que una inmigrante que transporta en un fardo el
  fantasmal resumen del pasado.
Y qué cárcel tan pobre elegirías
si te quedaras ciega, plegada entre los bordes mezquinos
  de este libro
como una humilde flor, como un pálido signo que perdió
  su sentido.
¿No hay otro cielo allá para buscarte?
¿No hay acaso un lugar, una mágica estampa iluminada,
en esas fundaciones de papel transparente que erigieron los
  grandes,
ellos, los señores de la mirada larga y al trasluz,
Kipling, Mallarmé, Carroll, Eliot o Baudelaire,
para alojar a otras indescifrables criaturas como tú,
como tú prisioneras en el lazo de oscuros jeroglíficos que
  las ciñe a tu especie?
¿No hay una dulce abuela con manos de alhucema y mejillas
  de miel
bordando relicarios con aquellos escasos momentos de dicha
  que tuvimos,

arrancando malezas de un jardín donde se multiplica el
desarraigo,
revolviendo en la olla donde vuelven a unirse las sustancias
de la separación?
Te remito a ese amparo.
Pero reclamo para ti una silla en la feria de las tentaciones;
ningún trono de honor,
sino una simple silla a la intemperie para poder saltar hacia
el amor:
esa gran aventura que hace rodar sus dados como abismos
errantes.
El paraíso incierto y sin vivir.

XVII

Aunque se borren todos nuestros rastros igual que las bujías
    en el amanecer
y no puedas recordar hacia atrás, como la Reina Blanca,
déjame en el aire la sonrisa.
Tal vez seas ahora tan inmensa como todos mis muertos
y cubras con tu piel noche tras noche la desbordada noche
    del adiós:
un ojo en Achernar, el otro en Sirio,
las orejas pegadas al muro ensordecedor de otros planetas,
tu inabarcable cuerpo sumergido en su hirviente ablución,
en su Jordán de estrellas.
Tal vez sea imposible mi cabeza, ni un vacío mi voz;
algo menos que harapos de un idioma irrisorio mis palabras.
Pero déjame en el aire la sonrisa:
la leve vibración que azogue un trozo de este cristal de
    ausencia,
la pequeña vigilia tatuada en llama viva en un rincón,
una tierna señal que horade una por una las hojas de este
    duro calendario de nieve.
Déjame tu sonrisa
a manera de perpetua guardiana,
Berenice.

OTROS
POEMAS
1978

OPERACIÓN NOCTURNA

Alguien sopla.
Sopla contra mi casa una envoltura de cortinajes negros,
una niebla sedienta que husmea como hiena en los rincones,
unas sombras que incrustan trozos de pesadilla en la pared.
Alguien sopla y convoca los poderes sin nombre.
Mi guarida se eriza,
se agazapa en el foso de las fieras,
resiste con su muestrario de apariencias a los embates
      de la mutación.
Alguien sopla y arranca de sus goznes mi precaria morada,
las maquinarias de su remota realidad.
Ahora es otra y no es y apenas vuelve a ser en más o en menos,
tan amenazadora y tan falaz como una escena blanca
      espejeando en la nieve
o la ventana que se enciende y se apaga en la espesura
      del tapiz.
Pero igual la sofocan en su temblor final con una funda
      helada,
la separan de sus mansas costumbres,
le quitan una a una sus misericordiosas pertenencias con
      un duro escalpelo.
La convierten en la trampa feroz sobre las bocas del abismo
      que viene.
¡Y yo que reclamaba solamente un lugar de pequeñas
      alianzas como chispas,
solamente un lugar para oficiar la luz en torno de mis huesos!
¿No había para mí nada más que esta cárcel,
estos muros aviesos, fatales hacia abajo,
esta tensa tiniebla que me arroja de subsuelo en subsuelo?

BRILLOS, SOPLOS, RUMORES

Es exigua esta luz.
Apenas si dibuja escenas inconstantes hechizadas por el fulgor
    de la corriente
o pájaros prisioneros en un témpano inmóvil.
Todo lo que se va entre dos golpes de ola, como cambiar
    los ojos;
todo lo que se queda como estatua de sal en su visión insomne.
Esta luz es de paso y es mortal.
Nada que me descifre qué puede ser entonces
esta intención de brillo que llega sin un cuerpo donde
    poder estar,
este soplo a través de una brecha más honda que un anillo
    vacío
o este rumor de frondas que traspasa la noche lado a lado.
Tal vez brillo de miradas que vuelven
como vivas monedas rescatadas desde el fondo sin fondo
    de un tonel;
tal vez soplo de bocas que me nombran con mi nombre de arena;
tal vez rumor de antiguos ropajes desgarrados por los vigías
    de otro mundo.
Alguien que se rehace con la dócil sustancia de las apariciones.
Es voraz esta luz.
Absorbe sin piedad al que retorna con su rostro extranjero.
Sólo me deja restos,
vestigios insolubles de esos vagos tejidos que fragua
    la nostalgia.
Aunque quizás se trate de mi propia nostalgia y de otra luz.
¿No soy acaso un brillo, un soplo y un rumor también
    indescifrables,
allá, donde acudo con mi carne intangible y mis disueltos pies
a una densa reunión de desaparecidos?

Me moldeó muchas caras esta sumisa piel,
adherida en secreto a la palpitación de lo invisible
lo mismo que una gasa que de pronto revela figuras
    emboscadas en la vaga sustancia de los sueños.
Caras como resúmenes de nubes para expresar la intraducible
    travesía;
mapas insuficientes y confusos donde se hunden los cielos
    y emergen los abismos.
Unas fueron tan leves que se desgarraron entre los dientes
    de una sola noche.
Otras se abrieron paso a través de la escarcha, como proas
    de fuego.
Algunas perduraron talladas por el heroico amor en la
    memoria del espejo;
algunas se disolvieron entre rotos cristales con las primeras
    nieves.
Mis caras sucesivas en los escaparates veloces de una historia
    sin paz y sin costumbres:
un muestrario de nieblas, de terror, de intemperies.
Mis caras más inmóviles surgiendo entre las aguas de un ágata
    sin fondo que presagia la muerte,
solamente la muerte,
apenas el reverso de una sombra estampada en el hueco
    de la separación.
Ningún signo especial en estas caras que tapizan la ausencia.
Pero a través de todas,
como la mancha de ácido que traspasa en el álbum los
    ambiguos retratos,
se inscribió la señal de una misma condena:
mi vana tentativa por reflejar la cara que se sustrae y que
    me excede.
El obstinado error frente al modelo.

OBJETOS AL ACECHO

¿Dónde oculta el peligro sus lobos amarillos?
No hay ni siquiera un pliegue en la corriente inmóvil
    que tapiza este día;
ni un zarpazo fugaz contra el manso ensimismamiento de las
    cosas.
Ninguna dentellada,
nada que abra una brecha en estas superficies que proclaman
    su lugar en el mundo:
mis dominios inmunes,
mi pequeña certeza cotidiana frente a las invasiones de la
    oscuridad.
Y sin embargo surge la amenaza como un fulgor perverso,
o como una estridencia sofocada;
quizás como un latido a punto de romper la frágil envoltura
    de las apariencias.
Ha cundido la impía rebelión en mi tribu doméstica,
acostumbrada antes al ritual de mis manos y a la mirada que
    no ve.
Los objetos adquieren una intención secreta en esta hora
    que presagia el abismo.
Exhalan cierto brillo de utensilios hechos para la enajenación
    y el extravío,
contienen el aliento para el ataque indescifrable,
transforman sus oficios en esta exasperada, malsana geometría
    del suspenso.
Son gárgolas ahora.
Son ídolos alertas en muda interrogación a mi poder incierto.
Se ha cambiado la ley:
mis posesiones me presencian.
Se han mudado los credos:
el bello acatamiento se extingue bajo el sol de la sospecha.
Y ninguna palabra que devuelva las cosas ilesas a sus
    humildes sitios.

Y ningún catecismo que haga retroceder esta extraña
  asamblea que me acecha.
este cruel tribunal que me expulsa otra vez de un irreconocible
  paraíso,
recuperado a medias cada día.

EL REVÉS DE LA TRAMA

Dificultosamente,
como un animal anfibio que trata de adaptarse a todos los
    desvaríos del planeta,
absorbo con mi pan la insoluble penuria enmascarada
    de alimento.
Apenas si mi piel es apta para vestir la esfinge desmesurada
    que me habita.
Mi cabeza es estrecha,
pero guarda recintos capaces de albergar varias ciudades en
    su frágil desván.
Mis manos no consiguen alcanzar las visiones que pasan por
    mis ojos
ni mis pies tocan fondo en la hirviente cantera de mi corazón.
¡Y qué feroz fisura entre mi lengua y cualquier laberinto
    del lenguaje!
Casi todo mi ser es invisible;
plegado en una brizna,
sumergido hasta el limo en la inconmensurable pequeñez.
La mole de San Pedro brillando en el agujero de la cerradura;
Bizancio en una lágrima.

Hija del desconcierto y la penumbra,
avanzo a duras penas con mi carga de construcciones
    y naufragios:
cariátide insensata transportando su Olimpo en la nube
    interior,
perdiendo a cada tumbo su minúsculo yo como una piedrecita
    del gran friso,
un ínfimo fragmento de eternidad que rueda hasta los límites
    del mundo
y se recoge a tientas, sin acertar su sitio y su destino.

Igual yo te celebro en tu desproporción y en tu desorden,
increíble existencia,

192

como si te ajustaras exactamente a la medida de mi cuerpo
y al peso de mi voz.
Igual tú me repudias en mi provocación,
absurda vida en sombras,
como a una criatura intrusa en este reino,
cuando interrogo en vano tu rostro impenetrable hecho
    de hierro y de muralla.

Te vuelves contra mí,
te eriges en guardiana de un sagrario que alejas de mis pies,
me arrebatas en un negro huracán donde se quiebran las
    tablas de la ley,   .
y me dejas en vilo, suspendida en el borde de la orfandad y
    la catástrofe,
mientras se precipitan al vacío, desplegando en la nada sus
    telones,
escenas y territorios desprendidos del revés de mi trama.

Todo es posible entonces,
todo, menos yo

VARIACIONES SOBRE EL TIEMPO

Tiempo:
te has vestido con la piel carcomida del último profeta;
te has gastado la cara hasta la extrema palidez;
te has puesto una corona hecha de espejos rotos y lluviosos
jirones,
y salmodias ahora el balbuceo del porvenir con las
desenterradas melodías de antaño,
mientras vagas en sombras por tu hambriento escorial, como
los reyes locos.

No me importan ya nada todos tus desvaríos de fantasma
inconcluso,
miserable anfitrión.
Puedes roer los huesos de las grandes promesas en sus
desvencijados catafalcos
o paladear el áspero brebaje que rezuman las decapitaciones.
Y aún no habrá bastante,
hasta que no devores con tu corte goyesca la molienda final.

Nunca se acompasaron nuestros pasos en estos entrecruzados
laberintos.
Ni siquiera al comienzo,
cuando me conducías de la mano por el bosque embrujado
y me obligabas a correr sin aliento detrás de aquella torre
inalcanzable
o a descubrir siempre la misma almendra con su oscuro sabor
de miedo y de inocencia.
¡Ah, tu plumaje azul brillando entre las ramas!
No pude embalsamarte ni conseguí extraer tu corazón como
una manzana de oro.

Demasiado apremiante,
fuiste después el látigo que azuza,
el cochero imperial arrollándome entre las patas de sus bestias.

194

Demasiado moroso,
me condenaste a ser el rehén ignorado,
la víctima sepultada hasta los hombros entre siglos de arena.

Hemos luchado a veces cuerpo a cuerpo.
Nos hemos disputado como fieras cada porción de amor,
cada pacto firmado con la tinta que fraguas en alguna
    instantánea eternidad,
cada rostro esculpido en la inconstancia de las nubes viajeras,
cada casa erigida en la corriente que no vuelve.
Lograste arrebatarme uno por uno esos desmenuzados
    fragmentos de mis templos.
No vacíes la bolsa.
No exhibas tus trofeos.
No relates de nuevo tus hazañas de vergonzoso gladiador
    en las desmesuradas galerías del eco.

Tampoco yo te concedí una tregua.
Violé tus estatutos.
Forcé tus cerraduras y subí a los graneros que denominan
    porvenir.
Hice una sola hoguera con todas tus edades.
Te volví del revés igual que a un maleficio que se quiebra,
o mezclé tus recintos como en un anagrama cuyas letras truecan
    el orden y cambian el sentido.
Te condensé hasta el punto de una burbuja inmóvil,
opaca, prisionera en mis vidriosos cielos.
Estiré tu piel seca en leguas de memoria,
hasta que la horadaron los pálidos agujeros del olvido.
Algún golpe de dados te hizo vacilar sobre el vacío inmenso
    entre dos horas.

Hemos llegado lejos en este juego atroz, acorralándonos
    el alma.
Sé que no habrá descanso,
y no me tientas, no, con dejarme invadir por la plácida sombra
    de los vegetales centenarios,
aunque de nada me valga estar en guardia,
aunque al final de todo estés de pie, recibiendo tu paga,

el mezquino soborno que acuñan en tu honor las roncas
　　maquinarias de la muerte,
mercenario.

Y no escribas entonces en las fronteras blancas "nunca más"
　　con tu mano ignorante,
como si fueras algún dios de Dios,
un guardián anterior, el amo de ti mismo en otro tú que
　　colma las tinieblas.
Tal vez seas apenas la sombra más infiel de alguno
　　de sus perros.

ÍNDICE

Este libro se terminó de imprimir
en el mes de abril de 2000
en Indugraf, Sánchez de Loria 2251,
Buenos Aires, República Argentina.